老いの才覚

曽野綾子
Ayako Sono

ベスト新書
295

老いの才覚◉目次

第3章　人間は死ぬまで働かなくてはいけない　55

第6章　孤独と付き合い、人生をおもしろがるコツ　107

第7章　老い、病気、死と馴れ親しむ　129

第8章　神様の視点を持てば、人生と世界が理解できる　155

第1章

なぜ老人は才覚を失ってしまったのか

高齢であることは資格でも功績でもない

私は、一九三一年生まれの、いわゆる「後期高齢者」です。後期高齢者医療制度が施行されたのは、二〇〇八年四月からです。ご存じのように、この制度によって、家族に扶養されている人を含め、七十五歳以上のすべての後期高齢者が保険料の負担を求められ、大多数が年金からの天引きで保険料を徴収されるようになったわけです。

その時、テレビで、後期高齢者にあたる男性が「我々を殺す気か」と腹を立てていました。番組を見ていた同世代の知り合いは、「情けないですな。戦争を体験してきた者が、何ですか、あの言い方は」と怒っていました。

七十五歳以上と言えば、爆弾が降ってくる中を生き抜いてきた人間です。だから「あんな柔《やわ》なことを言う世代だとは思わなかった。戦中派につくづく愛想が尽きた」ということなのでしょう。

制度に反対する人の中には、「私たちはごろつきですか」と食ってかかっている女性もいました。そういう、いかにも嫌らしい言い方をする。日本の年寄りは、戦前と比べると毅然としたところがなくなりました。

内閣府がまとめた「二〇一〇年版　高齢社会白書」によると、七十五歳以上の後期高齢者は二〇〇九年十月の時点で千三百七十一万人となり、総人口の一〇・八％を占めています。後期高齢者の数は増え続け、五五年には七十五歳以上が二六・五％に達し、現役世代（十五歳から六十四歳まで）の一・三人が後期高齢者一人を支える社会になると推測されています。

そうなると、できるだけ若い世代に負担をかけさせないようにしようと思うのが当然ではありませんか。

しかし、実際はそうでもないらしい。「私は老人だから、〇〇してもらって当たり前」と思っている人のほうが多いようです。

駅に行くと、同行者が切符を買ってきてくれるのが当然のように、何もしない高齢者をよく見かけます。切符を渡されたら、「席はどこ？」と尋ね、切符の文字すら読もうともしません。バッグから老眼鏡を出すのが億劫なんですね。その心理は私にもわかりますが。

乗るべき電車がわかると、今度は「お弁当はどうするの？」「何時に着くの？」「その後、どうするの？」と、質問攻めが始まります。「お弁当はどうするの？」は、明らかに「買ってきて」という意味合いが含まれていて、それに気づかない同伴者は、気が利かないということになるわけです。

買ってきてほしいのなら、素直にそう頼めばいい。気がつけ、というのは、高齢者は偉いと勘違いしているのではないでしょうか。

バスの中で、若者に席を譲ることを要求している老人を見かけたこともあります。要求される前に若者が席を立つことが望ましい、とは思いますけれど、老人だから譲ってもらう権利がある、とふんぞり返っていいものでもありません。

高齢である、ということは、若年である、というのと同じ一つの状態を示しているだけにすぎません。それは、善でも悪でもなく、資格でも功績でもないのですから。

老化度を測る目安は「くれない指数」

老人とは、一般的に六十五歳以上の人だとされています。

老人福祉法は、原則として六十五歳以上の者を福祉の措置の対象としていますし、国連の世界保健機構でも六十五歳以上を高齢者と定義しています。しかし、一口に老人と言っても、生物学的、生理学的、心理的側面において、個人差が相当あるように思います。

とくに女性は皆、自分が人より若いと思いたいようですね。

クラス会に集まると、シワや白髪が少ないとか、肌の張りがいいとか言っては、お互いに実年齢より若く見えることを褒め合っています。

私は医者ではありませんから、背中の曲がり度指数や肌のたるみ指数などはよくわかりませんが、私が老化度をはかる目安としているのが、「くれない指数」です。

世間には、友だちが「してくれない」、配偶者が「してくれない」、娘や息子や兄弟や従兄弟が「してくれない」と始終口にしている人がいます。

「今度行く時、私も連れていってくれない?」

「○○さんに伝えておいてくれない?」

「ついでに買ってきてくれない?」

と、絶えず他人を当てにしている人もいます。

私は密かに「くれない族」と呼んでいるのですが、どんなに若い人でも、「くれない」と言いだした時が、その人の老化の始まりです。自分の老化がどれだけ進行しているかは、どれだけの頻度で「くれない」という言葉を発するかを調べてみるといいですね。シワや白髪、入れ歯の数ではかるより、むしろこちらのほうが老化度は、はっきり出ます。

老化が進んだ人間は、わずかな金銭、品物から手助けに至るまで、もらうことには異常とも思えるほど敏感です。そういう人は、いくらでも見かけます。

しかし、いつから、こんなふうに「老人だからもらって当たり前」、「親切にされて当然」というような風潮が顕著になったのでしょう。

昔の老人には、老いる「才覚」があった

私は二〇〇六年の五月に足首を骨折し、手術のために二度整形外科に入院しました。骨折した左足はしばらくの間使えませんでしたが、それ以外のところは動かせるので、洗面や食事など、たいていのことは自分でできました。

配膳はしていただいても、食べ終わった食器は、膝の上に乗せて車椅子で返しにいく。リハビリを受ける時も自分で車椅子を漕いで、隣の病棟まで通う。もちろん、不自由なこともありました。

ある時、エレベーターに乗ったら、低いところにボタンがついていない。身障者用ではなかったのです。

まわりにはだれもいないし、私は片足で立つこともできない頃でしたから、ボタンに手が届かない。どうしたら三階まで行けるか。頭をめぐらせて出てきたのは、いたって素朴な答えでした。

このまま乗っていれば、そのうちだれかが乗ってくるだろう、ということです。

慌てず騒がず上へ行ったり下に行ったりしていたら、思った通り、だれかが乗ってきて、ボタンを押していただいて無事に三階へ行くことができました。

自分が、手の届かないバナナをどうやったら取れるか考えているサルにでもなったような気がして、おもしろかった。

足が働かない分、脳みそを働かすことによって、カバーできるわけです。

どう工夫すれば、身の回りのことが自分一人でできるか。それを考えるのが楽しみでもありました。

すぐにはうまくいきませんでしたが、時間だけはいくらでもあります。今日できないことでも、翌日はどうにかして目的を達成するのがおもしろい。

昔、吸殻《モク》拾いの人たちが使っていた長い柄のハサミなんて、日本ではどこででも買えるんですから、それも使いました。

すぐにはうまくいきませんでしたが、お風呂にもなんとか入れるようになりました。病院の浴室には手すりもあるし、椅子を一つ貸してくださいますか、というような希望も聞き入れられるので、私は腕力があるのを幸い、椅子の背や手すりを利用して移動したのです。そうやって工夫すれば、たいていのことは自分でできます。

しかし、多くの高齢者の患者さんたちは、自分でできることもなさいません。食器を返すのも人任せですし、車椅子も押してもらっている。驚いたのは、洗髪です。その病院にはすばらしいシャンプー台が設置されている部屋があって、週に一度、看護師さんがそこで洗髪してくれるのですが、私は自分の好きな時間に行って手早く洗っていました。ところが、手を怪我している様子もない患者さんも、看護師さんや付き添いの人に洗ってもらっているのです。

そこには、「自分が受けさせていただけるサービスがあっても、自分は受けなくていい。もっと困っている方が、代わりに使ってくださったらうれしい」という気持ちが全く見受けられません。病院のサービスだからとそのまま受け入れるのではなく、まわりの状況などを見て、自分はどうすべきか、と判断する気力と「才覚」がないように見えました。

才覚とは、最近よく言われるCIM（computer integrated manufacturing）のようなものです。辞書には、「コンピューターによる統合生産のことで、製品の企画、設計、開発、製品管理、流通など各部門間をコンピューターネットワークによって接続し、相互の情報を有効活用するシステムを構築することで、生産性の向上と市場競争力の強化をはかろうというもの」とあります。要するに、今まで得たデータを駆使して、最良の結果を出そうとするシステムのことです。

昔の人は、そのシステムが頭の中に入っていました。こういう状況の時、自分はどうすればいいか。もしこの方法がダメだったら、次はどうしたらいいか、と機転を利かせて答えを出した。それが、才覚です。

最近、地震災害などがあると、テレビに「頭が真っ白になって、何も考えられない」と話している被災者が必ず登場します。揺れている間は、頭が真っ白になって何も考えられなくても、揺れがおさまればどうにか考えられるものです。どうして、おにぎりやパンの配給があるまで、呆然となすところなく座っているのか、不思議でなりません。

戦争中なら、どこにも食料はありませんでしたが、今は、どこの家でもお米の一キロや二キロはあります。避難する時は持ち出せなかったとしても、揺れと揺れの間に家に入って持ち出すこともできるでしょう。

私なら、余震の間にどこかからお鍋を調達してきて、即席のカマドを作り、倒壊家屋の廃材や備蓄してある薪を使って、自分でご飯を炊く。同じくらいの大きさの石が三つあれば、鍋を置いても安定します。ブロックでも煉瓦でも、壊れた家から失敬してくればいい。その程度のものなら、非常時は無断借用する才覚も必要です。

若い人は、「頭が真っ白で何も考えられない」のが自然なのかもしれません。しかし、少なくとも、戦争を体験している世代は、戦時下では頭が真っ白になるような人は生き延びられなかったはずです。被災した時にこそ、高齢者だという甘えを捨て、過去の経験を活かし、率先して行動すればいいのです。

私など、子供の頃から「才覚を持ちなさい」と訓練されたものです。何事に関してもいちいち人に聞かないで、どうしたらうまくできるか考えろ、と。できなければ、親からも社会からも「あなたは機転の利かない子ね」と叱られました。つまり年をとれば、それだけ才覚にあふれた老人がたくさんいたのです。

基本的な苦悩がなくなった時代が、老いる力を弱くした

では、どうして才覚のない老人が増えてきたのか。

原因の一つは、基本的な苦悩がなくなったからだと思います。望ましいことではありませんが、昔は戦争があり、食べられない貧困があり、不治の病がたくさんありました。家もお粗末でしたから台風が来れば必ず屋根が飛んだり山崩れがあったりして、自然災害もひどかった。そういう目に遭うから、ある程度は運命を受諾し、また災害を自分たちでどう防ぐか、他人や国に頼らず知恵を絞ったのです。

ところが、今は戦争がないから、明日まで生きていられるかどうかわからない、という苦悩がない。医療が進んで結核で死ぬ人も少なくなったし、昔みたいに子供の五人に一人が死ぬということもない。食べられなければ、生活保護がもらえる。山崩れや津波も予知して防いでくれる。

天気予報一つにしても、「今日は夕方から雨が降りますから、傘を持ってお出かけくださ い」とか、「明日は寒くなりますから、厚手のセーターを着たほうがいいでしょう」とか、過保護もいいところです。あらゆる点で守られ、何かあれば政府がなんとかしてくれるだろうと思っているから、自分で考えない。してくれないのは政府が悪い、ということになるわけです。

私が接してきた途上国は、全く違います。今でも大勢の人が戦争や病気で死ぬこともあるし、飢えることもある。日本では「食えない」という言葉は、家のローンを払い切れない、子供を大学へ行かせる費用がない、などと拡大解釈されていますが、世界の多くの土地で「食えない」と言えば、まさに今晩口にするものがない、ということです。

日本のマスコミは「乞食」と書くと差別だから、この言葉は消すように言いますが、世界には乞食がいくらでもいます。

アフリカでは、飲み水を手に入れるために炎天下を一キロ、二キロと歩かなくてはなりません。その代わり、幸福も大きい。アフリカの貧しい田舎などで、午後中かかって、家の前に持ち出した臼《うす》と杵《きね》で、子供たちはお米を搗《つ》く。日暮れ時になってようやく脱穀できて、母親がご飯を炊くわけです。電気などありませんから、夕闇の中で竈《かまど》の薪《まき》の火がキラキラ燃えて、そのうち炊きたてのご飯の匂いが漂ってくる。おかずなんて、ろくにありません。野菜を煮たものか、たまに川魚をいっしょに煮込んだようなものくらいです。

それでも父親は胸を張っています。今晩、家族にご飯を食べさせることができたのだから、一人前の男の仕事を果たしたわけです。家族も、その幸せを噛み締める。それが、人間の生活の原形なんですね。

よく「日本は経済大国なのに、どうして豊かさを感じられないのだろうか」と言われますが、答えは簡単です。貧しさを知らないから豊かさがわからないのです。今日も明日も食べものがあって当然。水道の栓をひねれば、水が飲める。飲める水を使ってお風呂に入り、トイレを流している。昔は日本人も水を汲みに行ったり薪を取りに行ったりしましたが、今ではそういう生活が当たり前になった。もともと人間が生きるということはどういうことかを全然知らない、おめでたい老人が増えたのです。

世界を見れば、日本ほど恵まれた国はそうはありません。

半世紀以上も平和が続いているし、二代目の政治家は多いけれど、総理大臣の一族郎党が、政府の要職を独占するということもない。警官や裁判官の多くがやくざと繋がっているということもない。

格差社会だと言われていますが、日本ほど格差のない国はない。だれでも救急車にタダで乗れる国は、非常に少ない。国民健康保険や国民年金、生活保護法がある国など、めったにありません。

地震や台風などで被災した時だって、日本は大したものです。とにかく、その日からパンを配るでしょう。途上国では、災害から何日か経って、腹ぺこの被災者たちに芋や豆を配ったりします。生のままです。被災者たちは、ふらつく足で燃料を集め、煮たり焼いたりしなくては食べられません。

日本人は、被災したその日から、すぐに菓子パンを食べることができるのに、「三日間パンばかり配られて飽き飽きした」などと文句を言っている。それほどに贅沢なのです。

これは若者も同じですが、原初的な不幸の姿が見えなくなった分、ありがたみもわからなくなった。そのために、要求することがあまりにも大きい老人世代ができたのだと思います。

戦後の教育思想が貧困な精神を作った

教育の問題も大きいですね。戦後、日教組が、何かにつけて、「人権」「権利」「平等」を主張するようになりました。その教育を受けた人たちが老人世代になってきて、ツケが回ってきたのだと思います。

前に整形外科に入院していた時の話を書きましたが、患者の多くが自分で洗髪しようとしないのは、「入院費を払っているのだから、髪を洗ってもらう権利がある」「髪を洗ってもらえる人ともらえない人がいるのは差別だ」という考え方になるからでしょう。

だから当然、「受けさせていただけるサービスであっても、私は受けなくていい。もっと困っている方、弱っている方が代わりに使ってくださったら私もうれしい」という気持ちになれるはずがない。

昔の老人には「遠慮」という美しい言葉がありました。私が小さい頃、母たちの世代はよく「お邪魔になるといけないから」などと遠慮したものです。

しかし今では、だれもが「それをする権利がある」と言う。戦後の教育思想が、「あの人は髪を洗ってもらっているのに、私は自分で洗わされた」「損をした」という貧困な精神の老人を作ったのです。

「損をすることには黙っていない」というのも、日教組的教育の欠陥です。わざわざ教育しなくても、そもそも人間は、がめついのです。皆で食べるケーキを切り分けた時、どれがいちばん大きいか、一瞬で見分けようとするでしょう。兄弟が多い人なら誰でも思い当たりがあるそうですが、そういう強欲さがある。教育されるまでもなく、本能的に内蔵されているのです。

しかし、そのまま行動に移すのでは動物と変わりません。本能をコントロールすることが「遠慮」なんですね。十人いれば十分の一をもらえると思う。できたら十分の二人前ももらえたらいいなと考える。それをコントロールして、本来は十分の一人前もらえるところを、「私はもう年寄りだから、その半分でいいですよ。あとは、この子供にあげてくださ い」と言えるのが人間です。つまり、動物的平等化を人間的に馴らす方法が「遠慮」だと思います。

かつては、損のできる人間に育てるのが、教育の一つの目標でした。動物は捕まえた獲物をまず自分が食べ、残りを自分の子供や群れの仲間に与える例が多いけれど、人間は見ず知らずの人に恵むということができる。それが人間である証拠です。

老年も、いくつになっても損をすることができる気力と体力を保つということを目標にするべきです。まあ、こんなことを言っている私も、そのうち惚けたら、強欲ババアになるのでしょうけど。

老人の使う言葉が極度に貧困になった

なんでもかんでも権利だとか平等だとか、極端な考え方がまかり通る世の中になってしまったのは、言葉が極度に貧困になったせいもあると私は思います。言語的に複雑になれない人間は、思考も単純なのです。

原因の一つは、読書をしなくなったからです。私たちは、生活の真っただ中で苦労して生きることによって、さまざまなことを学びます。読書をすれば、それより更に広く自分が経験できないことを学ぶわけです。

しかも読書には、非常な自由が与えられています。同じものを読んでも、人によって全く別の受け取り方ができるでしょう。イマジネーションを広げるという極めて人間的な操作ができる。抽象的な文字から、月の光や湖水の輝き、すばらしい人やひどい奴を想像することが可能なわけです。

読書の習慣があれば、表現も自然と豊かになりますし、基礎的な知識だけではなく教養も身につきます。何より人間関係を恐れなくなります。言語という穏やかな武器がありますからね。

漫画やインターネットの情報だけでは、知的人間にはなれません。インターネットで引き出した答えより、本を読んで自分で考えて導きだすほうが、独創的な答えが生まれます。だから、他人と意見が違うことを恐れなくなる。それが自由な行動と結びつくのです。昔は、人と同じことをしていたのでは出世しない、とよく言われました。出世がいいかどうかはわかりませんが、少なくとも本を読まないような人が総理大臣になったら、世も末だと思います。

もう一つ、言語が貧困になった原因は、作文教育がきちんとなされてこなかったからです。自分の心の中にあるものを整理して、書き写すという技術がないと、表現力が豊かにならないばかりか、確固とした自分という人間を作っていけない気がします。

しかし、その機会がどんどん減ってきて、礼状を書く人もめっきり少なくなりました。私たちの世代は、礼状は書かなければいけない、と躾けられたものです。ほんの二、三行でも、達筆でなくても構わない。「お宅で食べたおタクアンはおいしかった」でもいい。そういう人間的な交流はあるべきだと思います。

東京大学法学部を卒業した官僚も、実につまらない文章しか書けません。アメリカのオバマ大統領の演説みたいな、泣かせる名文なんて一つもない。全くソツがない、おもしろくもなんともない文章しか書けない。

悪口のついでに言うと、それほど賢い人なら、「僕は法律の専門家ですが、文章はダメです」と辞退すればいいのだけれど、断らない。あんなヘタクソな文章で通用すると思っているのが不思議ですね。

読まない、書かないから、微妙な考え方や話し方ができない人が多くなりました。祖父母も親も教師も、それが恥ずかしいと教えなくなった、というか、教えられなくなった。企業もマスコミも日本語がわからなくなってきています。コマーシャルも間違いだらけ、アナウンサーからして、正しい日本語を話せる人がほんとうに少なくなりました。

敬語を使えない人が、なんと多いことか。言葉を使い分けると言うと、「権力におもねるのか」とか、「平等ではない」とか言いだす、それがヒューマニズムだと思っている。

あれは、ホームレスの患者の世話をしている病院を取材した時のことでした。大変な患者ばかりで、中には一年半長靴を脱いだことがなくて、長靴の黒い色素がしみついて足が真っ黒になっている老人もいました。看護師長さんは、ある患者の病状が思わしくなくて落ち込んでいると、しばらく経って、「(その患者の)従兄弟《いとこ》さんという方が現れて、お話しになったら、元気になられました」と言う。ホームレスの人に対して、陰でも敬語で話しているんですね。

ちょうどその頃、朝日新聞は「天皇皇后両陛下にも敬語を使わなくていい」と言いました。どちらが、心理的に美しいか。私は、朝日の発想は醜いと思います。誰に対しても敬語を使うのが、私は好きです。

話を元に戻しましょう。読書と作文教育の欠如によって言葉が極端に貧しくなり、思考も単純になってしまった。私のまわりは活字の世界の人が多いので、あまり実感することはありませんが、たまに買い物で百貨店に行った時など、びっくりします。間違った日本語でもマニュアルならどうにかわかりますが、質問したり、ちょっと人間的な話になると、ほとんど会話のできない人が多い。同じ日本人なのに……、と惨めな気持ちになってしまいます。

今すぐにでも徹底して、読み書きの訓練をしないと、日本は滅びると思います。

外国の人の会話は実にしゃれている

私は、旅先で出会った人とちょっとした「人生の会話」をするのが楽しみなのですが、外国の人との会話は実にしゃれています。

イタリアのベネチアで、古い宿屋に泊まった時のことでした。食堂に行くと先客がいっぱいで座るところがなく、若いボーイに「私たち四人なんだけど、席はありません？」と聞いたら、「ちょっと待ってて。探してあげるから」と言うんです。

そのうち主人が待ち切れなくなって、自分で探しに行ってしまい、間もなく、そのボーイが戻ってきました。

「四人分の席がありましたよ」

「ごめんなさい。今、うちの夫がいなくなっちゃったの」

そう言うと、ボーイは笑って答えたんです。

「時には、夫はいなくなるほうがいいんじゃないですか」

まだ若くて結婚はしていないのでしょうけど、母親とか姉とか従兄弟とかが、ろくでもない夫に苦労したり、夫婦喧嘩したりしているのを見続けてきた。だから、夫がいないほうがいい時もある、とわかっているのです。すばらしい人生を知っている。大人だなと思いました。

イスラエルでも、忘れられない会話があります。定宿《じょうやど》にしているエルサレムのホテルの中にアクセサリー店があって、よく顔を出すんです。そこに、髪を短く刈り、老眼鏡をチェーンで首にきりっとかけた、いかにも仕事ができる雰囲気を漂わせた売場主任の女性がいます。前に、銀のイヤリングを買うことにして、その女性にお金を払おうとしたら、老

眼鏡の下から私の顔を見上げながら、

「あなたは去年も来たわね。ご主人と来て、クレジット・カードで支払ったわ」

と言う。そして、彼女は夫が使ったというカード会社の名前まであげてみせました。それは大手のカード会社の名前だったから、当てずっぽうかもしれないと思いながらも、私は答えました。

「すばらしい記憶力を持っていらっしゃるのね。あなたのように何でも覚えていると、人の倍生きたくらいおもしろいことがあるでしょう？」

「そうね」

彼女はそこで一瞬、伝票を作る手を止めて、こう言ったのです。

「でも、覚えているから、辛いこともあるわ」

たぶん彼女は、これまでに何度も人に裏切られたり、嫌な目に遭ったりしたのでしょう。その体験を数秒のうちに思い出して、「ああ、こんなことは忘れたい。でも私はこの人が言った通り、記憶力がいいから苦しむんだわ」と感じたのだと思う。でも、それをさっと私に言える。すばらしい表現力です。

そういう会話が日本では、ほとんどできないのが寂しいですね。表現力の問題もあるのでしょうが、おそらく、人生との対峙の仕方が違うのではないかという気がしてなりません。

たとえば外国では、否応なく、転がり込んできた兄貴をずっと食べさせたり、親戚の子供を引き取って育てなくてはならなかったりする場合が多い。一方、日本人は、さわらぬ神に祟りなし、というように、厄介なことはできるだけ避けようする。それだけでなく、嫌なことには目を逸らしたり、悲しい時は気持ちをごまかそうとしたりする傾向が強いように思います。

人生には、いいことも悪いこともあります。生きていれば、人に誤解されることもありますし、どうして自分だけが病気になったのだろうとか、自分の家だけが倒産したんだろうとか思うこともあるでしょう。その悲しみや恨みをしっかり味わってこそ、人生は濃厚になるのだと思います。

私は、自分の財産というのは、深く関わった体験の量だと思っています。若い時から困難にぶつかっても逃げだしたりせず、真っ当に苦しんだり、泣いたり、悲しんだりした人は、いい年寄りになっているんです。

第2章

老いの基本は「自立」と「自律」

他人に依存しないで自分の才覚で生きる

どういう年寄りになりたいか。私は、人生の後半にさしかかった頃から、それを折りに触れて考え、自分の老いを戒めるものを書いておかなくてはいけないと思うようになりました。そのメモをまとめた最初の『戒老録《かいろうろく》』が出版されてからもう四十数年が経ちますが、「老人であろうと、若者であろうと、原則はあくまで自立すること」という根本は今も変わりません。

年をとるにつれて、なおのこと、その重大さを感じるようになりました。自立とは、ともかく他人に依存しないで生きること。自分の才覚で生きることです。少なくとも生きようと希《こいねが》うことです。

たいていの人は、熱が出たら様子を見にきてくれたり、おかゆを作ってくれたりする親切な友人や家族に囲まれて暮らしていると思います。しかし、生活をするのは自分自身だということを肝に銘じておかなくてはいけません。

ライオンでもキリンでも、動物は皆、自分で餌を取って生きています。私たちも、それが基本です。自分で食べ物を買いにいくとか、友だちに哀れっぽい電話をかけて惣菜を届けてもらうとか、どんな手を使ってもいい。自分で生活を成り立たせる義務があるのです。

この間、知り合いからすばらしい話を聞きました。前に転んで入院したことのある八十代女性の家を訪ねると、その方が這って出て来たそうです。一人暮らしで、また転んで皆さんにご迷惑をかけないように、と。これはもう、輝くような知恵ですね。人からどう見えるか、なんて問題ではない。大事なのは、自分をどうやったら生かしていけるか、ということなんです。

老人といえども、強く生きなくてはならない。歯を食いしばってでも、自分のことは自分でする。それは別に虐待されていることでもなければ、惨めなことでもありません。だれにも与えられた人間共通の運命なのですから。


その時々、その人なりのできることをやればいい

しかし、自立の能力を保つことは、易しいことではありません。

骨折の後、松葉杖をついていた頃、街角に立って、ここにいるほとんどの人は重い荷物を持って十キロ歩いたり、走ったり、ジャンプすることも階段を駆け下りることもできるのだなと思いました。でも、私にはできない。私よりも年をとった人でもできるのに、私にはそんな単純なことができなかった。

その自分の劣等性を確認した時、さわやかな気持ちでもありました。自分というのはこういうものだった、これが私だ、と明確にわかって安心したのです。はっきりした自覚を贈られたことは、私の晩年の姿勢を限りなく自然体にしてくれるだろう、と思いました。

人は、その時その時の運命を受け入れる以外に生きる方法がありません。その範囲の中で、自分は何ができるかを考えるしかない。昔のようにできないと思うと苦しくなりますから、その時々、その人なりにできることをやればいいのだと思います。

一時期、足が痛くて靴下を履くのも辛かったことがありました。それでも、人に履かせてもらうことは一度もなかった。痛みに耐えるのも人生ですから、耐えられるくらいの痛みなら、なんとか辛抱して履けばいいんです。ひどい時は、服を着替えるのも痛くて、身づくろいにものすごく時間がかかりました。でも、ちっとも惨めじゃなかった。

だれも「早くしろ」とは言わずに、じっと待ってくれるんですからね。愛情というのは、手を出すことより、むしろ見守ることだ、と思いました。「してもらう」という立場は、意外と当人に幸せを与えないものです。どんなに大変だろうと、自立の誇りほど快いものはありません。

私は昔から講演に行く時や取材旅行はすべて一人でしたが、松葉杖をついていた頃も、肩からハンドバッグをかけて自分一人で出かけましたし、先日もアメリカへ一人で行ってきました。

そしたら、非常におもしろかった。ロサンゼルスの空港で、夥《おびただ》しい数の車椅子が置いてあるのでいったい何台あるんだろう、と思って眺めていたら、車椅子の係員は、私が乗りたくて立ち止まっていると思ったのでしょう。「乗っていらっしゃい」と声をかけてくれました。でも私は、歩けるうちは自分の足で歩きたい。人様が五分でお歩きになる距離なら、私は十五分かけて行く。車椅子に乗ったほうが楽だとか得だとか思いだしたら、私は終わりだと思っているんです。それで、丁重にお断りしました。

「ありがとう。でも、運動になるので歩きます」

「ゲートナンバーを知ってるの？」

「一〇一番です」

「それ遠いよ。絶対に、乗って行ったほうがいいよ」

「大丈夫。ゆっくり時間をかけて行きますから」

そう言った背景には、私の頭の中に、動く歩道が動いているという計算があったのです。ところが、ほとんど故障して動いていない。係員が言ったように、ゲートまでほんとうに遠かった。いい教訓になりましたし、新鮮でした。アメリカは何でも機械化した国だといわれているけど、機械が壊れてもすぐには直らないんだな、と。

往きにも問題があったんです。ロサンゼルスからサンフランシスコの空港に着いたら、今度は荷物が届かない。私のスーツケースだけ、イギリスへ行ってしまったという。私はもともと英語に自信があるわけではありませんが、訛《なまり》のひどい英語を話す飛行機会社の係員と喧嘩して、結局、帰国する前日にスーツケースを取り返して帰ってきました。

遺失物係のセンターは、なんとインドにあるんですよ。ですから、私はインド人の英語にてこずっていたわけ。

それが旅行というものであると同時に、人生の旅なんですね。人生は闘いですから、闘わないで、「切符を買ってきてちょうだい」「何時にどこへ着くの？」「お弁当はどうするの?」などと言うのは、生きていない証拠だと思います。

自分の能力が衰えてきたら生活を縮めることを考える

老いて、自分の能力がだんだん衰えてきたら、基本的に、生活を縮めることを考えなくてはいけません。

たとえば私はいまだに、安いマーケットに行くと、食糧をたくさん買い込んで来て、サンマの味噌漬けなどを作ったりしていますが、それをやる体力がなくなってきたらきっぱりやめる。

ペットは飼わない。前に、「ボタ」という器量の悪い雑種の猫を飼っていたことがありますが、確実に二十二歳まで生きました。また猫を飼って、二十二年生きられたら、私のほうが先に逝ってしまいますから、最期を看取ってやることができません。年老いたら、毎日のエサの世話も、億劫になってくるでしょう。

荷物も、自分が持てなくなったら、持たないことです。

これまでに何度か海外へ団体旅行をしたことがありますが、高齢者でも人それぞれなのがおもしろい。自分の飲み水を他人に持たせる年寄りもいますし、同行者が見るに見かねて「お持ちしましょう」と言うのを、半ば当てにして買い物を増やす年寄りもいます。

そうかと思うと、ある女性は、今の私のように足が悪くて、重いものを持つことができない。それで、小さなバッグを一つ肩からかけて、お土産にスカーフ一枚とネクタイ一本を買い、そのバッグに収めたとおっしゃる。「身の程」というものを知って、物質と付き合っている賢い方だなと思いました。私は、「次に買われるのは、ダイヤがいいんじゃないですか。軽くて嵩張《かさば》りませんから」と言っておいたんですけれど。

人に何かをやってもらうときは、対価を払う

一人暮らしをすると、愛情をかけるものがほしくなるのは当然です。花壇を作ったり、犬を飼ったりしている老人はたくさんいます。しかし、自分でそれを維持できなくなった時はやめるか、対価を払う。つまり、自分でできないことは、人の好意にすがるのではなく、労働力を買って自分の希望を達成する、ということです。

近所の知り合いが、犬の散歩くらいして差し上げましょう、とおっしゃるかもしれませ

ん。でも人の好意に甘えると、どんどん依存心が強くなります。費用を少し安くしていただいてもいいけれど、ちゃんと日当なり、時間給なりを支払うべきだと思います。タダで人をこき使ってはいけません。

誰でも人は何かを得ようとしたら、対価を払わなければならないんです。年寄りといえども、この原則を忘れてはいけないと思います。

東京では、とくに収入のない七十歳以上はバスの年間フリーパスが千円と、優遇されています。美術館や映画館の入場料の割引ぐらいはあってもいいと思いますが、年間千円でバス乗り放題というのはむちゃくちゃです。

基本は、ドライバーの費用や燃料代、保険料などの経費を、乗っている人数で割った分だけ払うべきでしょう。聞くところによると、高齢者の積極的な社会参加を支援するための制度だそうですけれど、「安いから、暇つぶしに乗っている」と話している人もいました。もちろん、生活の厳しい人が利用するのはいい。しかし社会が（して）くれるものなら、何でももらっておこうというのは、乞食根性になっている証拠です。払える年寄りは、何歳になっても、自らの尊厳のために払うべきだと思います。

夫の三浦朱門もれっきとした後期高齢者ですが、映画館の割引も使いません。対価を払うのが社会にいる「壮年」の務めだ、と思っているみたいですね。私も、経済が許す限り、いくつになっても、自分にかかる費用はきちんと払い続けるつもりです。そんな自立の気構えが、精神の若さを保つうえで非常に大切な要素になっていると思いますから、そうするのは何より自分のためなんですね。

高齢者に与えられた権利は、放棄したほうがいい

老人は、もう少し自ら遠慮するべきだと思います。よくテレビ番組で難病を治す名医が紹介されていますが、医師の時間は限られていますから、もし一カ月間に数十人しか手術ができないとしたら若い人から受けるべきでしょう。治療のためのワクチンが限られているのなら、高齢者がまず受ける権利を放棄したほうがいい。

もちろん、国の制度や医師の論理では、どんな人も平等です。だからこそ、高齢者が自ら辞退したほうがきれいですね。国が高齢者を切り捨てるのではなく、若者が要求するわけでもなく、高齢者が自由意志で、自らの美学として、自ら遠慮したほうがいいのです。

昔の日本では、それが当たり前のこととしてできていました。言葉にしなくても、だれもがわかっていました。年を重ねて当然備えているはずの賢さを、社会の中で充分に発揮していたから、老人は尊敬を払われていたわけです。

私は六十歳になった時、同級生たちと還暦記念の韓国旅行に出かけたことがあります。プサンから韓国に入って、最初の食事が焼肉でした。韓国人のガイドさんは、「ここは食べ放題ですから、どんどん注文してください」と言ったのですが、仲間の一人が「初日だから、食べすぎないようにしましょうよ。このお皿が空いたら、やめにしない?」と言ったんですね。

それで皆、ほどよい遠慮をして、腹九分目くらい食べ、お皿に残すこともなく、余分なものは一切取らず、きれいに食事を楽しみました。その時、私は「皆、年はとったけれど、いい女になったなあ」と、とても感動したのを覚えています。

いくつになっても、「精神のおしゃれ」が大切

いくつになっても、身だしなみに気をつけるのはもちろんですが、それよりも大事なの

は、「精神のおしゃれ」です。男性の場合は、英語で言う「ギャラントリー（gallantry）」の精神が必要だと思います。これは、中世の騎士道に通じる勇気と、女性に対する丁寧な行動のことです。

いつだったか、南フランスを旅行した帰り、パリまで八時間ほど列車に乗った時、同じコンパートメントにたった一人若者の先客がいました。私が乗り込むと、その青年がさっと立ち上がって、荷物を棚に上げましょうか、と聞いてくれる。私はフランス語もほとんどできないのですが、それがきっかけで、ちょっと話しかけると、彼は二十一歳の海兵隊員で、今は軍艦で炊事係をしているけれど、兵役が終わったら以前のようにレストランでまた働きたい、と言う。

それで、今日はどこへいらしたの？　と聞くと、スペインとの国境に住んでいるパラシュート隊員の兄に子供が生まれたので、休暇を利用して、初めて甥の顔を見に行って来ました、と私に甥の写真を見せてくれる。朝食用に持たされた私のフランスパンのお弁当があまりに大きいので、半分食べませんか？　とすすめたら、朝飯はもう済ませてきましたので、と礼儀正しく断る。

二十一歳の青年が、私のようなオバサンと、最後まできちんと話をするのです。それも私のフランス語がたどたどしいので、こちらがわかるように丁寧にしゃべる。そして、私が降りる時にまた荷物をちゃんと下ろしてくれる。フランスでは、それをマナーとして、小さい時から親が躾けるわけですね。

日本の男性も、昔はそういう精神を持っていました。私の夫は八十歳を超えていますが、今でも道端で、バギーを押しながら買い物袋を提げて子供を抱いている母親を見ると、さっと走って行って手を貸しますし、列車の中で女性に「荷物を棚にお置きしましょうか」と声をかけます。

そういう男性が日本ではめったに見られなくなったのが悲しいですね。女性に手を貸すどころか、最近は、いい年をした男性まで、電車に乗って来るなり、我先に座ろうとするんですもの。

今の老年の男性は、教会で帽子を取ることも知りません。レストランで帽子をかぶったまま食事をしている人もいます。スープを音を立てて飲んだり、サラダの皿を持ち上げて食べたり、パンを千切らず大きなまま齧りつく。両隣の人にまんべんなく心を遣って、それぞれに適した話題で静かに会話をするという義務も果たさず、ただ黙って食べている男性もいれば、大きな声でしゃべり散らす女性もいます。

私は、そういうことをほとんど学校で躾けられました。駅や廊下で子供でも走らないこと、大声でしゃべらないこと、などを教えられたんです。

日本人は親がダメで教師がダメで、模範となる老人がいないから、若者の社会性が育たないわけです。

電車に乗れば、席を詰めもしないで、なんとなく二人分の座席を占領している男女を見ない日はありません。人前で平気でお化粧をしたり、歩きながらものを食べたり、下着が見えそうな短いスカートを履いたりしている。外国で暮らしている知人が、日本の女の子の服装を見て、「まともな女性が着るものじゃない。どうぞ襲ってちょうだい、と男にアピールしているようなものです」と言っていました。年寄りは本来、そういうことを教えてやらなくてはいけないのです。

自立を可能にするのは、自律の精神

年を重ねるにつれて、自立の大切さを感じるようになったと述べましたが、一般的にはそれは経済上、肉体上の自立を意味します。しかし同時に、自立を可能にするものは自律の精神であるということもわかるようになりました。

老年は、中年、壮年とは違った生き方をしなくてはいけない。このことをはっきりと認識することが、自律のスタートです。

年をとると、自己過保護型になるか、自己過信型になるか、どちらかに傾きがちになります。別の言い方をすると、自分は労《ねぎら》ってもらって当然と思うか、自分はまだやれると思いすぎるかです。後者の例として、「私の体型は三十代と変わらないんですよ」などと自慢している老年がいます。若さを保ちたいという意欲はけっこうですが、体型は三十代と同じであっても、体内のほうは確実に変わっていっています。それを受け入れて、年相応の健康を目指すほうが自然じゃないでしょうか。

つまり壮年、中年時代は、目もよく見え、耳もよく聞こえ、免疫力も高かったかもしれませんが、そうではなくなった今の自分に合う生き方を創出する。それが晩年の知恵だと思うのです。

健康を保つ2つの鍵は、食べすぎない、夜遊びしない

今の私の健康を保つ二つの鍵は、まず食べすぎないことと、夜遊びをしないことです。私の体験では、旅行中ほど節制が大切になります。しばしば食べすぎて後悔することはありますが、徹底して夜の遊びはしません。

大勢で旅行しても、私は夕食が済んだら、人がお酒を飲んでいる時でもさっさと部屋に消え、「付き合いの悪い奴だ」と思われようが、「あの人も年をとった」と言われようが、自分のペースを守っています。アフリカでマラリアにかからない方法は、過労を防ぐしかありません。めったにない旅だから、夜も仲間と飲みたい気持ちはわかりますが、体力はめいめい違います。だから自分の健康は自分で守るほかないのです。

食べる量とか睡眠時間とか、自分が抱え込める問題の量とか、すべては自分で見きわめてコントロールする。他人に迷惑をかけたくなかったら、日々刻々、そうやって自分に合った生き方を創出していく以外にないような気がします。

もちろん、自立がいいことだと思わないと、自律しようという気にもならないでしょう。しかし、自分のことは自分でできるということが幸せだと感じる人は、いくつになってもその年相応に若く、そのことがまたさらにその人の若さを支えていくのだと思います。

性悪説に立てば、人と付き合っても感動することばかり

現実の暮らしの中では、私は明らかに性悪説で自分を律してきました。

カトリックの学校で育ったので、すべてにおいて、いい人などいないことを比較的若い時からわかるようになりました。キリスト教は性悪説ですから、人間はそのままにしておけば、人間の尊厳を失うほどに堕落することも簡単である。しかし信仰によって、あるいはその人に内蔵されている徳性によって、人間を超えた偉大な存在にもなれる、ということをきっちりと教えられたのです。

日本人の多くは、人は皆いい人という性善説が好きですが、私のように性悪説だと、人と付き合っても感動することばかりです。だれでも嘘をつくだろうと思っていると、騙されなかったり、むしろ救ってもらったりする。その時、自分の性格の嫌らしさに苦しむことはあっても、いい人に会えてよかった、という喜びは大きい。

しかし、最初から皆いい人で、社会は平和で安全で正しいのが普通だと信じ込んでいると、あらゆることに不用心になって、よくて当たり前と感謝すらしなくなる。それだけでなく、自分以外の考え方を持つ人を想定する能力にも欠けてきます。

私は、一九八七年から「海外邦人宣教者活動援助後援会」（通称ＪＯＭＡＳ）というＮＧＯをやっています。文字通り、世界で働くカトリックの神父と修道女の活動を経済的に支援しているのですが、すべての人が泥棒だと思ってスタートしました。

世界中で、可能性としては、その国の大統領も、大臣も、市長も、村長も、院長も医者も、司教も、福祉委員も、教師も、軍人も、警察官も、貧しい人同士も盗みます。原則的に日本人の宣教者に援助金を出していますが、私たちはシスターたちさえも信じないことにして、お金が目的通りに使われているかどうか、南米やインドやアフリカの奥地まで視察に行きます。

この前、ＪＯＭＡＳがどれくらいのお金を受けて、使ってきたかを調べてみたら、二〇〇七年の末までの三十五年間に、十四億七千四百三十一万八千円のお金が人々から届けられていました。幸いなことに、その九九・九％までが正確に使われてきたのは、私たちがひたすら人を信じなかったからだし、日本人と極少数の外国人の神父やシスターたちがそのお金の用途を厳しく監督してくれたからでした。

たぶん私は、振り込め詐欺には引っかからないと思います。夫は、退屈しのぎにいいからと手ぐすね引いて電話を待っていますけれど。おもしろいそうですよ。前にかかってきた時は、こちらから息子と孫の名前をあげて、「どっちだ？」と聞いたら、孫の名前を言う。それで「今どこにいるんだ？」と尋ねてみると、「会社だ」と答えたので、「お前、いつから就職したんだ？」なんて、ずいぶんからかったらしい。今度は、どうやって遊ぼうか、と考えているみたいです。

いまだに、振り込め詐欺に騙される年寄りが後を絶ちませんが、私たちは基本的に、人を信用してはいけない。生きている限りは、緊張して生きなくてはいけないのです。

私は、最終的に国家さえも信じてはいけないような気がしています。ほんとうのことを言うと、私は年金制度など撤廃して、めいめいで老後に備えたほうがいいと思っています。その代わり、国は保険料をとらないようにして、国民が年をとってどうなっても責任を負わない。これは極論ですけれど、社会保険庁みたいないい加減なところにはもう任せられません。

とは言っても、日本は、決して信じるに値しないような国家ではありません。世界から見れば、政府を信じることのできる数少ない国家の一つです。世界一長寿であることも、日本人が幸運な国家に生まれていることを客観的に示しています。

しかし、国家にもできないことがある。なんとかしろと言っても、若者の人口が減り、収入のない老人の数が増えれば、税収も少なくなるから、どうにもならない。ない袖は振れないのです。

第3章
人間は死ぬまで働かなくてはいけない

ひと昔前まで、人は死ぬまで働くのが当たり前だった

厚生労働省の「国民生活基礎調査」を見ると、二〇〇九年の高齢者世帯（六十五歳以上の者のみで構成するか、これに十八歳未満の未婚の者が加わった世帯）の一世帯当たりの平均所得金額は二百九十七万円で、そのうち「公的年金・恩給」によるものが七〇・六％を占め、「稼働所得」が一七・七％になっています。公的年金・恩給が総所得の一〇〇％を占める世帯は、六三・五％に上ります。

二〇〇八年の日本人の平均寿命は、女性が八十六・〇五歳、男性は七十九・二九歳と過去最高を更新しました。二〇一〇年版「高齢社会白書」によれば、平均寿命はさらに延び、六十五歳以降の人生が長期化するという。また、二〇五五年には国民二・五人に一人が六十五歳以上となり、日本は「世界のどの国も経験したことのない高齢社会になる」と指摘しています。

赤字国債の累積や国家予算の現状、核を有する国が周辺にいる以上は防衛費もおろそかにできないことなどを考えると、老人であるというだけで受けられる厚遇が、いつまでも続けられるはずがありません。定年後は自分のしたいことだけをして余生を送ればいい、

という時代は過ぎ去った気がします。

戦後生まれの高齢者もいますから、年をとったら、旅行したり趣味を楽しんだりするのが年寄りの特権だ、と思う人が出てきても仕方ありませんが、社会情勢が変わってきたのです。状況が変わるのが人生というものです。若者だろうと年寄りだろうと、社会の変化に対応しなくてはならない、という基本原則に変わりはありません。

自立は経済から始まる、と言ってもいい。振り返れば、ひと昔前までは、人は死ぬまで働くのが当たり前でした。七十歳になっても八十歳になっても籠をしょって、石ころだらけの坂道を上って畑に行っては仕事をし、取れた野菜を背負って帰ってくる足腰がしっかりした老人が多かったものです。だんだん農業をやらなくなったこともあって、そういう老人はずいぶん少なくなりました。

アメリカのリタイアリー（退職者）を真似したところもあります。ご主人が定年になると、ご夫婦でのんびり船旅をするのが優雅でいいと思っている。それも悪くはないですが、私は全然すてきだとは思いません。一度、クイーン・エリザベスに乗ってロサンゼルスまで行ったことがありますが、ダンスもカジノも興味がないから、船の図書室で原稿を書いてばかりいました。

私は、世界の動きの中に加えてもらうことがおもしろいから、一生、生産と結びついていたい。できれば、ただ自分が生きるため以上の働き、つまり病気や弱っている人の分まで一日でも長く働かせていただきたいと願っています。

現実問題として、老人も働かないと生活が立ち行かない。たとえば息子一人が働いて両親も妻も子も食べさせるのは大変でしょう。年をとっても働ける限り、再就職するとか、庭で野菜を作るとか、それぞれが何らかの形で生産性を保っていなくてはやっていけないと思います。

実際、高齢者の就業状況を調べてみると、内閣府の「二〇〇六年版　国民生活白書」によれば、就業者の割合は、男性の場合、六十五歳〜六十九歳で四九・五％で、女性は二八・五％。また、不就業者のうち男性は四割以上、女性は二割以上が就業を希望しています。男女とも大半が「経済上の理由」をあげており、高齢者の生活は必ずしも「悠々自適」というわけではなさそうですが、時間的な拘束があまり強くないパートやアルバイトとしての就業を希望する傾向にあります。

その人の体力と能力に応じて、午前中だけ、あるいは午後だけ、または週に二日から三日と決めて働く。それが、老人にとって無理のないいい暮らし方ではないでしょうか。政治の力で一刻も早く、そういう高齢者が皆、働ける社会を整備してほしいと思います。

体の悪い高齢者を働かすのは気の毒ですが、健康な老年に働いてもらうのは少しも悪くない。死ぬまで、働くことと遊ぶことと学ぶことを、バランスよく続けるべきだと私は思います。「年齢に甘えないで、もっと働いてください」と言うと、怒る人もいれば喜ぶ人もいるでしょう。どう反応するのか。それが老人の健康の度合いを測るバロメーターにもなりそうですね。

老人になったら、若い人の出る幕を作ってあげるべき

死ぬまで働くと言っても、平均寿命以上になったら公職に就いてはいけません。

昔、八十一歳と八十七歳の時に参議院選に立った有名な女性の政治家がいて、世間はその政治家の清潔な政治活動や理念を賞賛しましたが、私は実に無責任だと思っていました。たとえ、その人が非常に元気でも、平均寿命を越えたら明日はどうなるかわからないと考

えるべきです。ことに政治などというものは重責を担うものですから、少しでも体の不調を感じたり、一定の年齢になったら、危険を避けるために辞めなければいけません。

小泉純一郎さんが総理だった頃、当時八十五歳の中曽根康弘さんと八十四歳の宮澤喜一（二〇〇七年没）さんに引退を要請しましたが、私は当然だと思います。お二人は十分に健康で考え方もお若いと思いますが……、自由な立場で社会に貢献していただくのがいいのです。

個人商店の社長などは全然構いません。しかし、大きな組織の要職にいつまでも居座られるとまわりが迷惑します。

たとえば財団などの会長や理事長がなかなか辞めず、そのうち急に体力が衰えたり惚けたりする。会議中に一言も発言しなくてお茶だけ飲んで帰る人もいれば、居眠りをしている人もいます。前の日にどんなことがあろうとも、会議の時ぐらいは我慢して起きている力のない人は、そのような任務に就いてはいけません。少なくとも、しゃべらない、耳が遠くなって話が聞けない、居眠りをする人は、理事や評議委員を辞任すべきだと思います。

何年も会長や理事が病気のまま、職を退かないこともあります。それで困っている組織は少なくない。判断を乱す恐れのある病気にかかった時は、家族が常識として一カ月以内に辞任願いを出すべきです。

夫の三浦朱門はまだいくつか職に就いていますが、すでに辞任届を書いてあります。今は元気でも、明日はわかりませんから。脳溢血で倒れたりしたら、退く判断力がないか辞任届を書けないかになるでしょう。だから、私や息子がそれに日付を入れてすぐ出せるようになっています。やはり役に立たなくなったら、組織から出なくてはいけない。本人が決断できない時は、まわりが引退の準備をしてあげなくてはいけません。奥さんにとっては、闘病中のご主人に「あなたはもう理事ではありませんよ」と告げるのは辛いことでしょう。だからといって、引導を渡さないのは身勝手です。

老人になってからも、昔のように前面に出たがる人というのも困りものです。前向きでいい生き方かもしれませんが、人には育てられる時期と育てる時期があります。若い頃は、能がなくても年上の人が押し出してくれました。年をとったら、今度は自分たちがそういう立場だとわからなくてはいけない。大局に立って、その時その時の自分の位置を確認しながら、若い人の出る幕を作ってあげるべきでしょう。それが、年を重ねた者の才覚です。

後進に道を譲ったからといって、自分の道が閉ざされるわけではない。むしろ自由な境涯で、自分の時間を持ったり、より健康になる仕事に邁進すればいいと思います。

老人が健康に暮らす秘訣は、目的・目標を持つこと

私の同級生たちは今、七十八歳ですが、ほとんどが仕事をしています。私が「学生時代にそんな才能があったの?」と驚くくらい、それぞれに技術を身につけ磨いて、外国人に日本語を教えたり書道教室を開いたり、染色がうまくて展覧会に出品している人もいます。作品が売れることもあるそうです。年をとっても、できるだけそうやって経済的価値を生み出す仕事をするのはいいですねえ。自分がやった仕事に「対価を払います」と言われているということは、社会から疎外されていない証しです。だから、幼稚だけれど、生きがいになります。

老人が健康に暮らす秘訣は、生きがいを持つこと。つまり、目的を持っていることだと思います。私の母が晩年、私に目的を与えてくれ、と言ったことがありました。老人性の軽い鬱病になっていたのかもしれませんが、私は「それはできません」と答えたのを覚え

ています。

だれに対しても、他人は目的を与えることはできない。その人の希望を叶えるために相当助けることはできます。しかし、目的は本人が決定しなくてはなりません。それは、若者であろうと老人であろうと、アフリカの片田舎に生まれようと、ニューヨークの摩天楼の下に生まれようと、同じことです。

たいていの年寄りは目標がなかったら、生きていけないのではないでしょうか。老人ホームで手厚く世話をしてもらって、お花見だ、お月見だ、盆踊りだと行事を開いていただいても、目標がないと楽しくないかもしれません。やっぱり絵手紙がうまくなるとか、俳句が上達するとか、何か目標がいるような気がします。

私は、週末を神奈川県の三浦海岸にある家でよく過ごしますが、そこで親しくしている人たちは、元海上自衛隊とかマグロ漁船に乗っていたとか高圧送電線を引いていたとか、体を使って働いていた男性たちで、軍艦や山奥の暮らしに「もう、うんざりした」そうです。それで、畑をやりながらボランティアをしています。たとえば一人暮らしのおばあさんの家の生け垣を刈ってあげたり、市民農園で農作業の手ほどきをしたり、どんどん仕事をしています。そういう目的があると、とても充実するようです。

「何をしてもらうか」ではなく「何ができるか」を考える

私は、生きることは働くことだと思っていますが、老齢になって大事なのは、市井でどのような働きができるかではないでしょうか。

昔、私の住んでいる町に、和服の上に黒い絹のちゃんちゃんこを着て、正ちゃん帽というニット帽をかぶり、門の前を掃いているおじいさんがいらっしゃいました。その頃、私はジョギングをしていて、通りがかるたびに、この家の人なのだろうなと思っていたのですが、自分の家の前だけでなく、隣の家の前も掃いている。夫に「うちの隣にも、ああいうおじいさんがいたらいいわねえ」などと図々しいことを話していたものです。

そのおじいさんのことを夫が何かに書いたらしく、後日、その息子さんから、父は何カ月も前に亡くなりました、という手紙が来ました。いつも、向こう三軒両隣まで掃いていたそうで、それが父の喜びだった、と。

たぶん、右隣の家にはまだ手のかかる幼い子供がいて、左の隣家のおばあさんは腰が悪いと知っている。じゃあ、自分は時間と健康を与えていただいたのだから両隣は掃いておこう、と思われたのではないかしら。

過去にどんなことをなさっていたのかは知りません。おそらく、何かしら大きな仕事をした方だったのでしょう。でも晩年は、世の中の、いわば通りのいい称賛とか地位とかはもう一切関係なく、ただ人間としてやるべきことをしていらした。「何をしてもらうか」ではなく、「何ができるか」を考えて、その任務をただ遂行する。それが「老人」というものの高貴な魂だと思います。

老齢になっても、掃除なんかくだらないとかつまらないとか、そういう眼力しか養えていなかったとしたら、情けないですね。老年はむしろ、くだらない、つまらないと社会から軽視されるようなことにこそ、甘んじて働くのが美しい。

近年、農産物の盗難が増えていますが、私は老人で自警団を作ってパトロールをするのがいいと考えています。畑泥棒は徹底して摘発しなくては、国が滅びます。アフリカの農村は、それで潰れているのですから。

アフリカで働く宣教者たちの申請に応えて、貧しい人たちのために農地を買うと、次に有刺鉄線の柵を作ってもらいたいという申請がきて、最後は夜警をつけてもらいたい、という話になるんですね。初めは、「畑に夜警ですか?」と驚きましたが、それをケチると、作物が全部盗まれてしまう。せっかく育ててきた作物を収穫前にごっそり盗られたら、作る気力がなくなってしまいます。

そこで、日本では老人たちを動員する。年寄りになると睡眠は短くていいのですから、三人か四人で歩いたり、小型車でのろのろ走ったりしながら、田畑を見回る。変な車が止まっていたら、ナンバーを控えておく。泥棒と闘う必要はありません。よちよちばあさんでも、ピーッて、笛を吹けるじゃないですか。

盗難防止小屋を作って、中でお茶を飲んでいるだけでもいい。いるのといないのでは、全然違います。泥棒も好き勝手はできないでしょう。そんなふうにして津々浦々、国家の安全のために、老人パワーを活かすといいなと思います。あちこちで農産物が盗まれ、農業がダメになったら、日本は立ち行かなくなりますから。

また、子供たちの安全のために、登下校時に通学路に立ったらどうでしょう。それだけでも大きな仕事になります。

料理、掃除、洗濯　日常生活の営みを人任せにしない

働くというのは、外へ出ることだけではありません。いちばん身近で役に立つのは、孫を育てる手伝いをすることだと思いますが、これは孫が近くに住んでいたり同居したりしていなければ難しいでしょう。だれにでもできるのが、料理を作る、掃除をする、洗濯をすることです。つまり、日常生活の営みを人任せにしない。生活の第一線から引退しないことです。家事全般は死ぬまでついて回りますから、引退はありません。

私は実利的なので、料理は創作できますし、家族も喜ぶからおもしろいものだと思います。幸い、うちには秘書がいるので、昼間は六人ぐらいで食べることがあります。食べてくれる人がいると作りがいがあって、楽しいですね。煮物が好きで、一・五リットル入りのお醤油を買ってきても、すぐになくなってしまうので、「だれかが晩酌に飲んでいるんじゃないの？」などと話しているくらいです。

料理というのは複雑で、段取りが必要です。総合的に頭を使いますから、惚け防止にも大いに役立ちます。私は冷蔵庫の残り物を利用したり、新しい料理を開発しようとしたりしますから、同じことの繰り返しになりません。とくに高齢者を抱えた家庭では、歯のな

い人や糖尿病の人、肝臓が悪い人など、それぞれの体の状態に適した料理が求められますから、かなり頭も使います。

まず、冷蔵庫にどんな食材が残っているかを常に覚えておいて、何を作れるか決めます。買い物に行けばケチですから鮮度や値段をチェックしますしね。調理を始めたら、どの段階でどんな調味料を使うか、自然に段取りを組み立てるものです。さらに手先の運動、手順の訓練も加わり、けっこう頭のトレーニングになるんです。料理ができあがる頃には調理器具はすべて洗い終わっています。

料理は、やり続けなければいけないようです。毎日料理をしている私でも、旅行で二週間ほど家を空けたら、インスタントの焼そばを作る手順さえ間違えてしまうんですから。あれは、添付の乾燥キャベツを入れて、お湯を注いで蓋をして、三分経ってからお湯を捨て、ソースを混ぜなくていけない。それなのに、すぐに蓋を捨ててしまって、具とお湯を入れてから、はたと蓋が必要だったことに気づく。緊張感を保っていないと、くだらないことで料理は失敗するんです。だから毎日、台所に立って段取りをし続けることが、どうも人間としての基本的な機能を失わせない強力な方法になるようです。

男性たちも、料理くらいしたらどうでしょう。「男子は厨房に入るものではない」などという昔気質の思想は、ほんとうに困ったものです。私の仲間うちで「俺のメシは族」と名づけているのですが、女房が出かけると言うと、「俺のメシは？」と聞く夫が大勢います。普通なら、「どこへ何をしに行くのか」と尋ねるものでしょう。ひょっとしたら、男友だちといっしょじゃないだろうか、と嫉妬したりしても不思議ではないのに、自分の食事のことしか頭にない男がいるんですよ。

人は男であろうと、女であろうと、基本的に一人で生きていけなくてはならない。少なくとも自分のための簡単な食事の用意、衣服の洗濯、部屋の掃除くらいはできないと、人間ではありません。

我が家では、夫が家事をするのを全然厭わない。調理なんて、ちょっと習えばだれにでもできることですし、時には出来合いのものを買ってきて、レンジで温めて食べ合わせてもいい。今は電化製品をうまく使えば、家事はできます。うちの洗濯機だって、洗濯物を入れてボタンを押すだけですもの。

すべてのことは、「させられる」と思うから辛かったり惨めになるのであって、「してみよう」と思うとどんなことも道楽になります。うまくいった時は、かなり贅沢な思いにもなれる。家事もやってみれば楽しくおもしろい、と思える人もいるはずです。

奥さんも愛情があるなら、今すぐにご主人を躾けるべきですね。長年連れ添った夫婦でも死ぬ時は一人です。ことに男性が残されて、家事もできないようでは悲惨です。

受けるより、与える側に立つと幸せになる

受けるより与えるほうが幸いである、と聖書には書かれています。これは信仰の問題ではなく、心理学的実感としても正しいでしょう。

ただ受けているだけの人は、もっと多く、もっといいものをもらいたいと際限がなくて、配偶者が「してくれない」、嫁が「してくれない」と不満が募る。しかし、与える側に立つと、ほんの少しのものでも些細なことでも楽しくなるし、相手が喜んでくれれば、さらに満たされる。与えるほうが、ずっと満足感があるわけです。

大人になれば、与える側にまわらなければいけません。子供の時は、おっぱいをもらって、抱っこしてもらって、おむつを替えてもらって、ランドセルを買ってもらって、学校

へ行かせてもらって、と全部してもらう。

そのうち、母親と買い物に出かけたら荷物を持つようになり、車の運転ができる年頃になると、「病院へ行くなら送って行ってやろうか」と声をかけたり、初めての給料で時計をプレゼントしたりする。皆それぞれに与えるようになって、その時に初めてその子が大人になる。

近頃の親は、「あなたは勉強だけしていればいいの」などと言って、与えるチャンスを奪ってしまいますが、昔の子供は家の手伝いをするのが当たり前でした。私は三歳から当時まだ充分に田舎の空気を残していた田園調布に住んでいますが、駅前の商店の子供たちは配達に行かされていました。その中には、妹を背負わされている男の子もいました。「勉強しなさい」ではなくて、「早く配達に行きなさい」とお母さんにお尻をたたかれて、大人になるわけですね。

人間は受けもし、与えもしますが、年齢を重ねるにつれて与えることが増えて、壮年になると、ほとんど与える立場になります。そしてやがて、年寄りになってまた受けることが多くなっていく。その時に、人によって受け方の技術に差が出てきます。

ただ黙って受けるだけなら、子供と同じです。もし、「ほんとうにありがとう」と感謝して受けたら、与える側はたぶんうれしい。お茶を一杯入れていただいて、何も言わずに当然のように飲むのと、「あなたのおかげで、今日はおいしいお茶が飲めました」と言うのとでは、相手の気持ちが全然違うでしょうね。

与える側でいれば、死ぬまで壮年だと思います。おむつをあてた寝たきり老人になっても、介護してくれる人に「ありがとう」と言えたら、喜びを与えられる。最終的に与えることができる最も美しいものは、「死に様」だと私は思っています。そして、子供たちは今、死ぬということを学ぶ機会があまりないから、それを見せてやることだけでも大した仕事だと思います。死後、臓器の提供や献体を希望する人もいるでしょう。どんなによぼよぼになっても、与えることができる人間は、最後まで現役なんですね。

第４章

晩年になったら夫婦や親子との付き合い方も変える

「折衷」を許し合える夫婦になる

五十歳になった時に私が感じたことは、もうこの年になれば人はそれぞれに長い歴史を持っている、ということでした。それを改変させようとするのは思いあがりというもの。残りの時間はもしかすると短いのだから、その人の生きたいように生きることを承認したい、と思いました。それは、長年連れ添った夫婦の間でも言えることです。

私は三浦半島にある家で畑をしながら、夕日を眺めたりしてのんびり暮らすのが好きですが、夫はあまり好きではありません。彼は完全な都会派で、都会の真っただ中にいて、美術館や劇場へ行くのが楽しみなんですね。

だから、それをお互いに少しやらせてもらう。半分好きなことをして、半分はお互いに妥協して暮らすんです。それを、いい加減にやれるのが大人だと思います。たとえば、一週間くらい田舎にいたいと思っても、ま、仕方がないや、と三日で自宅に帰って来る。「あなたのせいでゆっくりできなかったわ」とグチを言うのも、また楽しい。

趣味が合って、リュックサックを背負っていっしょに歩いているご夫婦がいますが、私たちはそれもない。私はアフリカへ行くのが好きだけれど、夫は絶対に行きません。食べ物を買いにマーケットへいっしょに出かけることはあっても、本好きの夫は、私に本屋へ行くとも言わずに、家出するみたいに一人で行ってしまいます。

普段から、私たち夫婦はあまりいっしょにいません。ご飯さえいっしょに食べればいい、と思っているところがあって、朝食は必ずいっしょにします。私は低血圧時代の癖で、たらたらたらたら一時間ほど話しながら食べています。そして、次のご飯まで、それぞれにいささかの自由を確保して、行きたいところへはさっさと出かけ、行ってきた先の話をお互いにうんとするのです。

二人とものすごいおしゃべりで、食事のたびに、夫は、出先でこんなことを言ったら相手はこんなふうに答えて、帰りの電車にこういう美人が乗っていて、彼女がどんなに呆れることをしたか、ということまで、こまごまと早口で話す。私のほうも、同じように外であったことを、おもしろおかしくしゃべる。それが、けっこう暇つぶしになって、お金も要らなくて楽しい。そして、また次の食事まで、それぞれに自分の好きなことをするわけです。

半分の欲望を叶えて、それをさせていただいたことに感謝する。そうすれば、なんとなく折り合いがつきますし、お互いに楽です。だから老年になったら、折衷を許せる夫婦になったほうがいい、というより便利です。折衷というのは、もしかすると偉大な賢さなのかもしれません。

親しき仲にも礼儀あり

「親しき仲にも礼儀あり」、というのは、友だち関係だけでなく、夫婦や親子の間でも必要ですね。家庭は気を許してもいいところですが、だからといって、相手を傷つけるようなことを平気で口にしたり、不愉快さをのべつぶちまけてもいい、というものでは決してありません。年をとろうと、それは同じです。

老いれば、何でも許されると思う人がいますが、それも一種の甘えだと思います。

昔、「私くらい年をとれば、何を言っても許されるのよ」と言った老女がいました。ほんとうのところは、周囲の人たちが我慢して聞いているのを、彼女は許されたと勘違いしていたのです。たぶん私たちは一生、だれにも甘えて不作法をしてはいけない。配偶者にも成人した子供にも立ち入りすぎた非礼はなさない、と決心するほうが、かえって楽なのかもしれません。

私は、親が子供にしてやれる大きな事業の一つは、別れることを上手にやってのけることだ、と考えていました。子供を教育しながら、しかも最終目的は独立を完成したその相手の前からさりげなく姿を消す。これは、常に感謝され、自分の与えたものを相手に確認してもらいたい普通の人間関係においてはなかなかできにくいことですが、親の愛情というものは、本来、無私の愛であるはずです。

私には、息子が一人います。彼は、自分の希望で十八歳の時に名古屋の大学へ進みました。私が息子の重荷にならないほうがいいと思っていたところに、幸い、息子が別人生を歩み出したのです。経済的には私たちが面倒をみていましたが、その時にいわゆる子育ては終わりました。

それからもう三十五年以上が経っています。私と暮らした年月の倍は別人生を歩いていますから、趣味も何もかも違って当たり前。もちろん、とても深く深く心にかかる存在ではあります。病気になったら気になるし、ちょっと具合の悪いことがあったら、うまくいくといいなと思う。しかし、それは長くよく知っている人だから気がかりなのだ、と考えるようにしています。

友人でも、三十数年付き合っているけれど、貯金をいくら持っているかまでは知らない人というのが、いっぱいいます。そういう友人との関係と同じように、もし私を受け入れていただけたら、仲よくしてくださいという気持ちでいたほうがいいと思う。それ以外に成人した子供と親がうまくいく秘訣はないような気がします。

親子においても「リターン・バンケット」の思想が必要

欧米には、「リターン・バンケット（return banquet）」という習慣があります。どなたかの家に招待されてごちそうになったら、ご返礼の宴会をする。フランス料理をいただいたからといって、こちらもフランス料理でお返しをする必要はありません。私のように、「ブリ大根しかありませんけれど」というのでも構わない。金額の問題ではなく、もてなしていただいたことに対して感謝の気持ちを表す。親子の間でも、何かしてもらって当然と考えていると、成熟したいい関係にはなれません。基本的に、リターン・バンケットの思想が必要だと思います。

幸福な親子の食事風景と言えば、私はユダヤ人の家庭を思い浮かべます。一九八四年から「障害者といっしょに行く聖地巡礼の旅」に参加してきたので、たびたびイスラエルを訪れました。エルサレムのホテルに泊まると、部屋の窓から周辺の家庭の様子が覗けるんです。乾いた暖かい日だと、窓のカーテンを開けて、さわやかな風を入れているので、家の中がよく見える。安息日になると、年老いた母親が、バラの花などを活けて部屋を飾り、テーブルにたくさんのお皿を並べています。

正式なユダヤ暦では、安息日は金曜日の日没から土曜日の日没までを指し、その間は一切労働してはいけないし、スイッチを押して電気をつけてもいけないことになっています。母親は、安息日に帰って来る息子や娘の家族のために、金曜日の午後までにマーケットへ行って、ごちそうを作って、ロウソクを灯して待っているのです。

そこへ、キッパという小さなお皿のような帽子をかぶった息子や孫たちが次々とやって来ます。たぶん、遠くに住んでいる子供たちもいるのでしょうけれど、週に一度の安息日には、車を走らせて母親を見舞いに訪れる。そして皆がそろって、食事になると、年長の息子がパンを手で裂いて皆に分ける。俺が食わしてやる、という感じなんですね。

その中に妻もいて、なんと言うことはないのだけれど、ともに語らい、ともにご飯を食べている。見ているだけで、子供たちが親をとても大事にしているのがわかります。それは、自分が存在するのはこの親のおかげだ、ということを身にしみて感じているからだと思います。そういう光景を目の当たりにしていると、親を見舞うというのは、社会的な義務のように思えてきます。日本でも、そのような習慣があってもいいのではないでしょうか。

子供は週に一度、それが無理なら月に一度、それも無理なら春夏秋冬それぞれの季節に一度ずつ、それさえも無理なら年に一度は、義務としてでも親を訪ねる。その時、親もできるだけ家をきれいに片付け、こざっぱりした衣服を着て、自分の体力と収入の範囲で、心のこもった食事を用意する。そして、楽しい話をする。間違っても、愚痴をこぼしたり文句を言ったりするチャンスだと思ってはいけません。

親子にも、やはり慎《つつし》みと、労《いたわ》りと、折り目正しさがいると思います。だからといって、まともな親子ならよそよそしい関係にはなりません。お互いに「忙しい中を訪ねてくるのは、大変だったろう」「年老いても明るい顔をして頑張ってくれているんだ」という感謝と尊敬に変わるのが、成熟した子供と親の関係ですから。

親子だからと気を許して、親はほうっておいてもいい、というものでもない。子供にはどんな弱みを見せてもいい、というものでもないと思います。

身近な人に感謝する

人間は、一日だけなら、どんないい人にもなれます。しかし持続するのは、どれほど大変なことか。毎日毎晩、顔をつき合わせていれば、お互いにアラも見えます。いつも優しくするなどということは、なかなかできるものではありません。

そうすると、同居していない娘や次男の嫁のほうがいいように思えてきて、同居している長男の嫁を疎んじたりする。でも、現実に老人を引き受けているのは、毎日いっしょに暮らしている長男の嫁という場合が多いんですね。

これは、ハンセン病患者の施設で聞いた話です。日本は、ハンセン病の人たちに対して生活的に支援をしています。過去に断種手術をするなどの問題はありましたが、世界的に見て、日本のハンセン病患者は、きちんとした待遇を受けていたんです。

その患者たちが上手にやりくりして生活をすると、手元に多少のお金が残ります。それを、一年に一度訪ねてくる甥にみんなやってしまう人がいるそうです。施設の職員や看護師たちに、袋菓子の一つも買って来て、「みんなで食べて」とは言わない。その心理が、私にはよくわかりません。

私はやっぱり、身近にいる人を大切にしたい。いろいろなことでいつもお世話になっている周囲の人たちに、ほんとうに感謝しています。すみません、助かりました。ありがとう、と始終言っています。心から、そう思っていますから。

世間には、長男の妻に親の面倒を任せきりにしておきながら、「何を食べさせているの」とか、「もっと優しくしてあげて」とか、何かと口出しをする小姑もいます。しかし親が、毎日面倒をみてくれている人に感謝して、その気持ちを表していれば、皆がうまくいくのではないでしょうか。お小遣いをあげるなら、たまにやって来る娘や甥姪よりも、同居中の嫁や老人ホームで世話になっている職員にあげてほしいですね。

子供の世話になることを期待しない

前出の「二〇一〇年版　高齢社会白書」で、六十五歳以上の高齢者と子供の同居率を見ると、一九八〇年にはほぼ七割だったのが、一九九九年には五〇％を割り、二〇〇八年には四四・一％と、大幅に低下しています。年齢が低いほど子供との同居率は低くなる傾向にあります。

しかし、二〇〇五年度においても、心の支えとなっている人に子供を挙げる高齢者が過半数を超えます。そこで、六十歳以上の高齢者の別居している子供との接触頻度について見ると、「ほとんど毎日」「週に一回以上」の割合の合計が四六・八％であるのに対して、「月に一～二回」「年に数回」「ほとんどない」の合計は五三・二％と、孤立している親が多いんですね。

外国と比較すると、前者の割合はアメリカで約八割、韓国、ドイツ、フランスでは六～七割と、日本は別居している子との接触頻度の低い高齢者が多くなっています。

いまだに、老いると子供が世話をするのは当たり前と考えたり、子供に老後を見てもらう予定を立てている親も少なくないようですが、親子の関係も、やはり基本は自立です。

しかし、子供のほうから見ると、警察に逮捕されるような悪事も働かず、自分の老後を子供に委ねようともしていない親は、世間のレベルから考えても、「始末のいい親」を持ったと感謝すべきかもしれません。

しかし、世間には未熟な子供も多いものです。子供から何の感謝もされず、関心も寄せられない、というケースもあるでしょう。その時は、さっさと諦めたほうがいいですねえ。いい年をした子供に今さら要求してみても、改変するものではありません。少なくとも私の好きなのは、捨てるより捨てられたほうがいい。捨てたいという息子や娘なら、捨てられてやればいい。

子育てに失敗したのかもしれないけれど、誰にとってもほんとうのところはわかりません。何もかもわかろうとするのは、思い上がりのような気がします。「為せば成る」と言う人もいるけれど、それも思い上がりです。世の中には、どんなに努力しても報われないことがいくらでもあります。思い通りにならないことだらけです。長く生きてくれば、それがわからないはずはないでしょう。

子供がそんなふうになったのは、もちろんかなりの部分は親の責任、残りは当人の素質。どうにもできないことの一つの事象にすぎない。なんだか知らないけれど、うまくいかなかった、ということであって、別に自分の生涯自体が失敗だったということでもありません。

愚痴をこぼしても、恨んでも、なんともならないのですから、そんなことに時間を費やすのはもったいない。子供の不誠実はきれいさっぱり忘れて、一瞬一瞬が明るく楽しくなる美しいものに目を向けていったほうがいいような気がします。この世ではどんなことも起こり得るのですから、いちいち驚かず、ただ憎しみを最小限度に抑えて暮らす方法を考えたほうがいいですねえ。世の中のことはすべて、少し諦め、思い詰めず、ちょっと見る角度を変えるだけで、光と風がどっと入ってくるように思えることもありますから。

そして、子供が何かいいことがあって知らせてきた時は、よかったね、と喜んでやる。もし子供が犯罪を犯して刑務所に入ったら、出所した夜に、家のドアを開けて招き入れ、お風呂を沸かして、ご飯を食べさせてやる。子供がどうあろうと、それが親の大きな務めだと思います。

第5章

一文無しになってもお金に困らない生き方

お金で得をしたいと思わない

お金は、非常に大事だと思います。なぜかと言うと、お金によって人生の苦しみを解決できる部分があるからです。

たとえばお姑さんの介護をしている場合、月に何回か自分の代わりにお姑さんの面倒を見てくれる人を頼むお金があると、ずいぶん違います。半日でも一日でも自由に解き放してもらって、お芝居を観たり買い物に行ったり、レストランでおいしいものをちょっと食べたりして帰ってくる。そうすると、気分が変わって、また元気にお姑さんの介護をすることができる。お金が人の心を救うわけです。その程度のお金は、やはりあったほうがいいですね。

「二〇一〇年版　高齢社会白書」によると、高齢者世帯（六十五歳以上の者のみで構成するか、これに十八歳未満の未婚の者が加わった世帯）の二〇〇七年の平均年間所得は、二百九十八・九万円となっており、全世帯平均五百六十六・二万円の半分強です。世帯人員一人当たりでみると、高齢者世帯の平均世帯人員が少ないことから、百九十二・四万円となり、全世帯平均二百七・一万円との間に大きな差はみられません。

また、高齢者世帯の所得の種類は、「公的年金・恩給」が二百十一・六万円（総所得の七〇・八％）で最も多く、次いで「稼働所得」の五十・五万円（同一六・九％）となっています。

高齢者世帯の年間所得の分布を見ると、「百万円～二百万円未満」が二七・一％で最も多く、次いで、「二百万円～三百万円未満」が一八・五％、「三百万円～四百万円未満」が一六・九％、「百万円未満」が一五・七％と続いています。年間所得「三百万円未満」の世帯の割合は、全世帯では約三割であるのに対し、高齢者世帯では約六割を占め、所得の低い世帯の割合が高くなっています。

では、貯蓄はどのくらいあるかというと、政府の家計調査によれば、二〇〇七年において、世帯主の年齢が六十歳～六十九歳の二人以上の世帯の平均貯蓄高は、現金だけで見た場合、千四百四十三万円。七十歳以上のそれは、千五百八万円でした。残念ながら、一人暮らしや扶養家族になっている老人についてのデータはないので、正確なところはわかりません。

ただ、高齢者の経済的な暮らし向きについて尋ねた調査では、「家計にゆとりがあり、全く心配なく暮らしている」「家計にあまりゆとりはないが、それほど心配なく暮らしている」と回答した者の割合は六〇・七％。これに対して、「経済的に心配がある」と回答した者の割合は三七・八％あり、「一年前と比べて経済的な暮らし向きが悪くなった」と回答した者の割合も約四割でした。

日本では、万が一、生活が保てなくなれば、生活保護を受けられます。しかし、国家に頼って人の税金で食べようという姿勢は、あまり感じがよくないですね。他人のお金をあてにしなければ自分の生活が成り立たないというのは、どこかおかしいと思います。

人はいきなり老年になるわけではありません。長い年月の末に到達するのですから、老後の暮らしに備えて、貯蓄はしておくべきでしょう。今の日本人の間違いは、古くから「備えあれば憂いなし」と言われているのに、備えもしない人が、かなり増えたことだと思います。

私は、小さい頃から母親に金銭哲学とでも言うべきものをよく聞かされました。母は、お金をいい加減に考えてはいけません、と戒めました。人間は弱いものだから、お金がないために無用な争いをしがちである。お金に少しゆとりがあれば、親戚や友だちとの付き合いの中で、自分がおおらかな気持ちで損をすることもできる。しかし、お金がないと、だれがいくら出したかということに、いつもヒリヒリ神経をとがらすようになってしまう、と。

お金は怖いものだと思いなさい、とも言われました。人から理由のないお金を出してもらったりしてはいけない。得をしたい、という気持ちが起きた時は、すでにお金に関する事件に巻き込まれる素地ができかけているから用心しなさい。人にすすめられて、何かを買ってはいけない。何にお金を出して何に出さないか、世間にならうのではなく、自分の好みで決めなさい、と。つまり母が私に教えたのは、常に自分が主人公になりなさい、ということだったのだと思います。

あからさまな悪徳商法に引っかかったり、途方もない儲け話にころりと騙されたりするのは、多くの場合、強欲な年寄りです。何十年も生きてきて、どうしてそんなばかな話に引っかかったのか、と思うことがよくありますが、楽して儲けたい、という気持ちが整理されていないのでしょうね。

得をしようと思わない。それだけで九五%自由でいられるような気がします。お金の問題はやはり低い次元の話ですが、低い次元の部分にはかえって単純明快なルールを自分で作っておかないと、心が腐ってくる気がします。

分相応、身の丈に合った生活をする

女優さんのように夢を具現化しなくてはならない人たちは、あちこちに別荘があったり、自家用機を持っていたり、ハイ・ソサイエティの人たちとパーティーを開いては皆でシャンパンを飲むような生活をしなくてはいけないでしょう。しかし、そういう職業でもない限り、見栄を張って暮らす必要はありません。自分の身の丈に合わせて、好みをほどほどに叶える規模というものがあるはずです。

そもそも人間は、一人当たり畳一枚分の面積があれば暮らせます。国連難民高等弁務官事務所（ＵＮＨＣＲ）が世界各地で難民のために小屋を作る時、大人は一人当たり約二平米、つまり約一畳分、子供はその半分として計算していました。荷物がなければ、それだけでどうにか生きていける。日本でも鴨長明の『方丈記』などを読むとそんなもの。それが人生の基本なんですね。

私は、若い時から広い家を持ちたいと思ったことがありません。掃除をするだけも大変ですから。田園調布にある我が家は、昭和九年（一九三四年）に親が建てたもので、ついこの間まで窓枠もアルミサッシではなかったし、いまだに木枠の窓もあります。当時のその辺りの家と同じくらい広い庭があって、庭師に頼んで維持していますが、お金がかかってしょうがない。だから子供には、私たち夫婦が死んだら、家も充分使ったから心置きなく壊して、更地にして売りなさい、と言ってあります。

いつだったか、だれだったか忘れましたが、「家庭というのは、家と庭があってこそ家庭である。庭もない狭い場所で穏やかな家庭なんかできるわけがない」という説を唱えている人がいました。でも、アパート暮らしで楽しい家庭を築いている人たちはいくらでもいます。私たちは皆、理想とは程遠い現実と折り合って、それを受け入れて暮らしているのです。

若い時は、見栄を張ることもあるでしょう。しかし長い間生きてくると、いくら隠しても所詮、その人がどんな生活をしているか大体のところはバレるものだから、見栄を張っても仕方がない、と気づく。晩年が近づけば、何もかも望み通りにできる人など、一人もいないことが体験的にわかってくる。「分相応」を知るということは、長く生きてきた者の知恵の一つだと思います。

私はお金が大好きですけれど、ありすぎても大変みたいです。同級生のお兄さんは、親が遺した膨大な土地の財産管理にかかりっきりになっています。もっとも、ほとんどの人が三浦雄一郎さんのようにエベレストに登頂してみたいとか、野口聡一さんのように宇宙船に乗りたいとか思っていてもできません。要は才能に合った生き方が一番いいんですね。

お金はあっても、なくても、人を縛るものです。邱永漢さんが、小金のある小市民がいちばん幸福だ、とおっしゃっていましたが、名言だと思います。そこそこ生活ができて、今日はウナギを食べたいとか、ちょっと温泉旅行でもしたいとか、それが叶うくらいの程度が最高ですね。

必要なお金がないなら、旅行も観劇もきっぱり諦める

私は、いつでも優先順位をかなりはっきり決めて、行動することを習慣にしています。自分にとって何が大事なのかを見きわめて、いちばん大事なことから順序をつけてやっていく。だいたい五つくらい決めてあっても、上位の二つくらいできればいいほうです。三つできたら、すごく幸せで、あとはさらりと諦める。年をとるとともにそれがうまくなって、やり残しがあっても嫌な気がしません。

常に残す人生に慣れることを、若い時に取材でごいっしょした新聞記者から教わりました。旅客機を乗り継いで世界を早回りするという企画で同行したのですが、その方は次の空港に着くまでに非常に多くのこと――当時は携帯なんかありませんから、記事をテレックスで送るとか――いろんなことをやらなくちゃいけない。でも、たいてい間に合わない。その時、おっしゃったんです。「優先順位を決めている。いちばん必要なことを順にやっていって、後は残っても気にしない」と。

そういうふうにして、私は、まあ、ほどほどに生きてきました。友人に「ほどほどでいいやと思っているから、思った通りに生きたんじゃないの」と言われますが、その通り、という感じです。

あれもこれもしたいと思うと、当然、お金も足りなくなります。私はミシュランガイドに載るようなお高い寿司屋へ行ったりしないし、着物やクルマやお酒に道楽することもありません。でも、いいお鍋があると、またほしくなる。もういい加減によそうと思うのですが、その鍋があると非常においしい料理を作れるような気がして、つい買ってしまう。傍から見れば無駄遣いに思われるかもしれないけれど、優先順位は、人それぞれでいいのではないでしょうか。

私の知り合いには、宝石が大好きな人がいます。中でもダイヤは、無色だから服を選ばないのでいいそうです。なるほど、と思いましたが、いざという時にダイヤは換金できるというメリットを兼ねた選択かもしれません。何にしても、その方はそれを買えるだけの経済力をお持ちで、分相応の範囲で買っていらっしゃる。

時々、政治家とか経済人とかが女を囲ったり、高い絵を買ったりして、世間の悪評を買いますが、私は人に迷惑をかけない範囲で、自分の金でやるのだったら、どんなことに使おうと全く構わないと思います。

私のまわりには、おいしいものを食べるのが最優先という人もいますし、日頃は節約して旅行だけは贅沢する人もいる。週末に少し馬券を買って、さわやかに遊んでいる老人もいました。家庭の経済の基本を根底から揺るがすようなことでないなら、何にお金をかけるかは、その人の自由。皆、自分の世界の価値観でいいのです。

原則は、自分の自由になるお金というものを決めて、その範囲内で使うのがいいと思います。稼いでいない奥様も、結婚して何十年も経てばもう長年の功労者なのですから、家族に「いくらくらいは使わせていただきます」とはっきり言えばいい。自分の稼ぎでも、勝手に使ってしまうのは、なんとなく風通しがよくないから、家族と話し合って家族の納得のもとに使うのが、私は妥当な気がします。

株などに投資をして儲けている人もいるようですが、それは特殊才能ですから、普通の人がやるべきことではないと思います。収入は、労働報酬が一番無難です。

昔は、お金がなかったらほとんど何もできなかったのでしょうが、この頃は、自治体の催しや企業のイベントなどで、無料で音楽を聴けたり絵画を観ることができたりするチャンスが増えてきました。シニア割引も大いに利用し、いろいろ好きなものを探して、積極的に楽しむといい。もし本を買うお金がないのなら、図書館で借りるか、古本屋で安く買う。そこは、その人の知恵の問題、才覚です。

そして、必要なお金がないのであれば、旅行も観劇もきっぱり諦める。何かを得る時は対価を払う、という原則を思い出さなくてはいけません。それができない時は、したくても我慢し、諦め、平然としていることです。

老年は、一つ一つ、できないことを諦め、捨てていく時代なんです。執着や俗念と闘って、人間の運命を静かに受容するということは、理性とも勇気とも密接な関係があるはずです。諦めとか禁欲とかいう行為は、晩年を迎えた人間にとって、すばらしく高度な精神の課題だと私は思うのです。

義理を欠く　冠婚葬祭から引退する

収入が少なくなれば、支出を減らすのが当然です。しかし、食費はあまり削ると、健康によくありません。冠婚葬祭くらいから切るのがいちばんいいように思います。

結婚式やお葬式というものは、出席することが楽しみな人と、そうでない人とがはっきり分かれるものです。人中に出るのが好きではない私は後者です。結婚式は疲れてしょうがないし、お葬式に出るとなんとなく悲しいし、寒い日などは風邪を引く。ロクなことがありません。

以前、ある大きな会社の社長と会長をやった人のお別れ会が都内の大きなホテルであって、友人が参列したそうです。私は「この寒いのに、七十代のおばあさんが行く必要はないわよ」と言ったのですが、故人の奥さんに「ちょっとでもお顔をお出しください」と言われたらしいです。それで出かけたら、「黒い服を着た人が大勢いて、知った人は一人もいなかった」そうです。

当たり前です。そんなところへ行っても疲れるだけで、風邪を引いて、タクシー代もかかる。なのに、平気で年寄りに「ちょっとでもお顔をお出しください」などと言うのは、残酷な気がしました。

お葬式の客が多いとか、偉い人が参列したとか、有名人から花をもらったとか、そういうことに情熱を傾ける人がいます。その人の好みの問題ですから、いいとか悪いとか言うことはできません。

しかし、遠慮というものを思い出さなければいけません。遠慮というのは、相手の立場に立つことです。私の知り合いは、身内のお葬式があっても、「来ないで」と言う人ばかりです。

高齢者が多くなってくると、友だちや知人のお葬式が多くなります。葬式ばかりではありません。昔は孫の結婚式などというものに出られる老人はめったにいませんでしたが、今はいくらでもいます。

結婚式であろうと葬式であろうと、もちろん、好きなら行けばいい。賑やかで人に会うことが好きな人や、お酒が飲めるということになると、俄然張り切る人もいますから。故人の話をしながら一杯飲んでこようという元気があったら、レクリエーションとして使うのもいいと思います。

昔は、貧乏で毎日晩酌することなど望めない人はいくらでもいましたから、葬式や結婚式は、へべれけに酔ってもいいという得難い機会でした。もっと昔は普段まともにご飯を食べられない人もたくさんいましたから、お腹いっぱい食べられる機会は、貴重だったんです。

自分の死によって、あまり関係のない人にもごく自然な形で幸せを与えられるといった機会は、そうそうありません。世界には、知らない人の結婚式に、通りがかりの人が立ち寄って祝福を与え、ごちそうになって当然という国もあります。それも幸せを分配する一つのやり方なのかと思います。

しかし、高齢者を労るなら、来なくてもいい、というふうにして、好きなほうをとらせていただきたい。とくに七十五歳以上の後期高齢者は、もう人生の持ち時間も長くないのだし、健康に問題が生じても当然の年齢だから、浮き世の義理で何かをすることからは、一切解放するという社会的合意を作ったらどうでしょう。少なくとも、冠婚葬祭からは引退することを世間の常識にしてほしいですね。

私なんか、かなり前から義理を欠いています。大切なのは生きている間だと思っていますから、お葬式は時々失礼します。生きているうちなら見舞いに行くのも大切なことかもしれない。でも亡くなった後は、魂はどこにでも遍在するのですから、何も葬式の場に行かなくても家で祈ればいいことです。

冠婚葬祭は「うち流」を通せばいい

お金の使い方も、冠婚葬祭も、ほんの少し勇気があれば自分らしいやり方ができます。

うちの家族は〝ジミ葬〟が好きで、私の母と夫の両親のお葬式は、ほんとうに世間にひた隠しに隠してやりました。うっかり話すと、一度も彼らと会ったことのない人たちが出席しなければと思うかもしれないからです。

私の母の時のことは、よく覚えています。私は朝七時から当時の中曽根康弘首相と対談するテレビの仕事があったので総理官邸へ行き、夫と息子がお棺を運び出して、焼き場に持っていってくれました。仕事を終えて、総理官邸の入り口の部屋で喪服に着替えさせてもらい、焼き場で夫に「お棺を出す時、だれにも見られないで済んだ？」と尋ねると、「そんなことができたら、完全犯罪ができるよ」と言うので、「ほんとにそうね」と笑ったのを覚えています。

お通夜もせず、しばらくして母方の従兄弟たちと、最期をみとってくれたお手伝いさんの総勢二十人で、お葬式を夕方四時頃からやりました。従兄弟が、「伯母が死にまして」と、会社を早引きするのにはそのくらいの時間が楽ですから。

喪服は一切、お断りでした。従妹とはこんな会話をしました。

「黒い服を着て来たらダメよ。うちは秘密葬式をやっているんだから」

「じゃあ、何を着ていけばいいのよ」

「うちの母が生きていたら何を着てくるのよ」

「この間、バーゲンセールで買った、きれいな葡萄酒色のスーツ。叔母さまに見せたかった」

「じゃ、それを着て、母に見せてやって」

お香典もお花も全部断るつもりでしたが、皆が気を遣うので、クラス会みたいにみんなから二千円ずつもらって花を用意しました。ミサの後、近くの中華料理屋で盛大に夕飯を食べました。母のワルクチを言いながら食べて飲んで、「とても楽しかった。来年もまたやってね」と言われたくらい。きっと母は喜んでいたと思います。

夫の両親の時も、一人も義理で出席してもらわなくて済みました。八十、九十まで長生きして、自分の家で老衰のように穏やかに亡くなった親たちには、社会的な晴れがましさなどもう必要ありません。大金を使うこともなく、故人が心から愛していた人たちに囲まれて、このうえなく温かいお葬式ができたのも、世間がどうあろうと、「うち流」を通したからでした。

備えあっても憂いあり　一文無しになったら野垂れ死にを覚悟する

貯蓄が少なくて、先々心配で仕方がないという人がいます。実際に、老人の間で常に問題になるのは、自分の持っているお金をどのようなテンポで使っていけばいいか、ということです。

しかし先々どうなるかは、だれにもわかりません。確かなものはないのです。前に言ったことと矛盾するようですが、備えがあっても憂いはあります。自分たちはできる限り備えたつもりでも、いつ何が起こるかわからない。自分はいくつまで生きるかもわからない。すべてを予測して備えるなどということはできないのです。

もし私が、長生きしすぎて一文なしになったら、あらゆる知人や周囲の人にタカります。そして冷たくあしらわれて、どうにもならなかったら、その時は野垂れ死にを覚悟するしかない。家でも、病院に入っても、絶対に楽に死ねるという保証はありません。死ぬ時は皆、野垂れ死にに近いと私は思いますが、野垂れ死にを決意しさえすれば、怖いものはなくなるはずです。それに、自分をみてくれる人がだれ一人としていないような薄情なこの世なら、もう生きていなくてもいいじゃないですか。

でも日本なら、行き倒れになっても、なんとかしてくれるでしょう。飢えて路上で死ぬ人は、今のところ例外ですから。

昔は日本にも「うば捨て」がありましたが、アフリカのブルキナファソという国では、現実に存在していました。

話がちょっと脇道へそれますが、アフリカの多くの土地では、人が死ぬと、寿命や病気の結果だと考えません。それはだれかの呪いによるものだと解釈されて、村の呪術師に「犯人」を占ってもらうのです。名指しされた人は、村から追い出されます。九〇%以上が老女なのは、たぶん、そのような理由づけをすることで、働くこともできずにただ食べているだけの老年を排除しよう、という社会的意図があるのだと思います。村社会から追放された老女はさまよい、道端で死ぬ人も多いそうです。

ブルキナファソで、カトリックのシスターたちが経営しているそういう老女たちを集めて世話をしている施設を訪ねたことがありました。施設と言っても、倉庫のような建物のコンクリートの床に薄べりを敷いて寝ているだけ。昼間は、外の空き地で猿山の猿のようにうずくまって、綿を紡《つむ》いだり糸を撚《よ》ったり、噛み煙草のようなコラの実を売っていました。

アフリカでは、お金がなかったら病気になっても治療が受けられずに死にます。痛みも止めてもらえません。しかし日本では、ホームレスも治療を受けられます。

取材したことのある東京都済生会中央病院には、住民登録もなく、健康保険にも入っておらず、ポケットを探しても千円以下のお金しかない人たちが入院できる病棟があります。運び込まれても、体が汚れていて病変がわからない人もいますから、体を洗えるシンクが設けられています。路上生活者の冬の死因で最も多いのが低体温症ですが、それを治療する特殊技能を身につけた医療スタッフもいます。たまたま日本に生まれたおかげで、その恩恵を受けることができるのです。

自治体や病院によっては、扱いが悪いところもあるでしょう。どこの国とくらべて、そう言わねばならないのか、よくわかりませんが。しかし、それはもう納得するよりしょうがありません。たとえどんなひどい目に遭っても、老年のよさは、それほど長く生きていなくて済む、ということでもあるのです。

第6章
孤独と付き合い、人生をおもしろがるコツ

老年の仕事は孤独に耐えること、その中で自分を発見すること

一人暮らしの老人が増えているという。「二〇一〇年版　高齢社会白書」によれば、六十五歳以上の一人暮らし高齢者の増加が著しく、一九八〇年には男性約十九万人、女性は約六十九万人でしたが、二〇〇五年には男性約百五万人、女性約二百八十一万人に上っています。今後も、一人暮らし高齢者は増え続けるといわれている。その要因としては、未婚率や離婚率の上昇、配偶者との死別後も子供と同居しない人の増加などがあげられています。

自然、一人で過ごすことへの不安を感じている高齢者も増えています。二〇〇五年に、一人暮らし高齢者の六三・〇％が日常生活で心配ごとを抱え、そのうち三〇・七％のが「頼れる人がいない」と回答してます。二〇〇二年度調査と比較して、心配ごとがある人の割合は約一・五倍に、頼れる人がいないという高齢者の割合は約一・八倍に伸びています。

お金がないのも辛くて、とても不安だと思いますが、孤独はお金があってもたぶん解決できない。孤独との付き合いは、老年にとって、いちばん勇気の要る仕事です。

ある女性は、夫が死んで何より辛いのは、人のワルクチを心おきなく言えなくなったことだ、と話していました。

どんなに親しい友だちにも、他人の秘密や自分の醜悪さをさらすことに遠慮するところがあります。でも、配偶者はそれを受け止めてくれる。おもしろがって、いっしょにワルクチを言ってくれるかもしれない。外に洩れる心配もないから、安心してしゃべることができる。たぶん仲のよい兄弟姉妹も同じようなところがあると思いますが、そうした防波堤のような相手が、少しずつ身のまわりから消えるのが、晩年・老年というものの寂しさなのでしょう。

他人に話し相手をしてもらったり、どこかへ連れて行ってもらったりすることで、孤独を解決しようとする人がいます。しかしそれは、根本的な解決にならない。根本は、あくまでも自分で自分を救済するしかないと思います。

孤独は決して人によって、本質的に慰められるものではありません。たしかに友人や家族は心をかなり賑やかにはしてくれますが、ほんとうの孤独というものは、友にも親にも配偶者にも救ってもらえない。人間は、別離でも病気でも死でも、一人で耐えるほかないのです。

人間は群棲する動物なのでしょうけれど、孤独にならざるを得ない場合があります。動物のドキュメンタリーを見ていても、「群れを離れた」という場面はよく出てきます。そういうこともあり得るのだと覚悟をしなければならない。いっそのこと、「老年は孤独で普通」と思ったらどうでしょう。そして、皆が孤独なのだから、「自分は一人ではないのだ」と考える。

結局のところ、人間は一人で生まれてきて、一人で死ぬ。家族がいても、生まれてくる時も死ぬ時も同じ一人旅です。赤ん坊はよく泣きますね。記憶はありませんが、すごく辛いのだと思います。おむつが汚れたり、お腹が空いたりしても、口が利けないのですから、辛くてたまらないでしょう。それを経て皆、大きくなる。人間の過程の一つとして、老年は孤独と徹底して付き合って死ぬことになっているのだ、と考えたほうがいいのではないか。私はそう思います。

一口で言えば、老年の仕事は孤独に耐えること。そして、孤独だけがもたらす時間の中で自分を発見する。自分はどういう人間で、どういうふうに生きて、それにどういう意味があったのか。それを発見して死ぬのが、人生の目的のような気もします。

私も含めてほとんどの人は、「ささやかな人生」を生きる。その凡庸さの偉大な意味を見つけられるかどうか。それが人生を成功させられるかどうかの分かれ目なのだろう、と思います。

一人で遊ぶ習慣をつける

私の母親の時代は、女性が一人で映画を観に行ったり喫茶店に入ったりできませんでした。今は、たいてい平気でしょう。私も疲れたら、ちょっと喫茶店へ入って本を読んだりします。年をとると、いっしょに遊べる友だちがだんだん減っていきますから、早いうちに一人で遊ぶ癖をつけておいたほうがいいと思います。

この頃、添乗員が付いていないと旅行ができない老年が増えてきました。グループで行くのもいいけれど、人生は旅ですから、一人で旅ができないのは象徴的な意味でも困ります。時刻表を見て、切符を買って、乗り換える時はどの切符だけを渡せばいいか、ということまで、人任せにしないで、自分で確認してやらなければいけません。

一人旅と言っても、もちろん、いろいろな人のお世話にはなるのです。しかし、基本的には自分一人で何とかして、できなかったら、自ら人にお願いすることも必要です。

私は、五十歳を目前にして、両眼が中心性網膜炎と白内障のためにほとんど見えなくなりました。その時も、一人で講演に出かけていました。困るのは、案内板に書かれた飛行機の搭乗ゲートも読めないことでした。だから、空港の係員に「私は視力障害で案内板が読めません。北九州行きは何番ゲートでしょうか」と聞きます。ゲートに行けば、耳を澄ませていると搭乗のアナウンスがあるので、皆が立ち上がって進む方向へ歩くのです。

その次に困ったのは、ターンテーブルに流れてくる自分の荷物が見つけられないことでしたが、係の人に合い札を見せて、「視力障害で見えませんので」と頼むと、ちゃんと取ってくれます。ほんとうに日本人は親切ですから、自分のマイナスの点をあからさまに言ってお願いする気力があれば、一人旅ができる。それが、とてもうれしいから、うんとお礼を言ってやっていただいてました。

眼が悪かった頃、私は「聖書」の講義を受けにバスに乗って世田谷区の瀬田というところにある修道院へ通っていました。田園調布の駅前からバスに乗る時、同じバス停に他の路線のバスも来るのですが、車両の行き先表示が全く読めない。

それで、わざとトンマな声を出して、「瀬田に行くのは、これでいいんでしょうか」と聞く。すると、運転手さんが「違いますよ。この後に来るバスに乗ってください」とか教えてくれるのでわかりました。どんな方法でもいい。年をとれば、少し無理なことでも、才覚で可能にする狡《ずる》さも知っているものです。

とくに一人旅は、知恵を働かさないといけないし、緊張していなくてはならないから、惚け防止にも役立ちます。毎日料理することと、時々旅をすること。それが、私の精神を錆つかせない方法です。

生涯の豊かさは、どれだけこの世で「会ったか」によって図られる

これはエッセイにも書いていますが、昔、沖縄へ行く飛行機でアメリカ人の中年女性と隣り合わせたことがありました。

私は何も聞かなかったのですが、彼女は「私には息子が二人いる」と語り始めました。

長男はマサチューセッツ工科大学を出た秀才で、教授になっている。下の子は、あまり勉

強が好きではなくて成績が悪く、軍隊へ入って、沖縄で好きな人を見つけて結婚し、子供が生まれた。今日、初めてお嫁さんと孫に会いに行くのだと、財布から息子夫婦と孫の写真を取り出して話すのです。

印象深かったのは、彼女が二番目の息子のことを「勉強は嫌いなんだけど、彼は人間を愛しているのよ」と、褒めたことです。日本にはない表現で、いい言葉だなと思いました。人を愛することができる人間は、母親が自慢してもいいほどのことなんです。私は、子供は秀才でなくてもいいから朗らかで、ものごとを好意的に見られて、世の中をおもしろがって暮らしてほしいと願っていましたから、彼女に会えてよかったなと思いました。

その人の生涯が豊かであったかどうかは、その人が、どれだけこの世で「会ったか」によって、はかられるように私は感じています。人間にだけではなく、自然や出来事や、もっと抽象的な魂や精神や思想にふれることだと思うのです。何も見ず、だれにも会わず、何事にも魂を揺さぶられることがなかったら、その人は、人間として生きてなかったことになるのではないか、という気さえします。

一九八四年から始めた「障害者といっしょに行く聖地巡礼の旅」でも、私は、いくつものすばらしい出会いに恵まれました。この旅の特徴は、障害者もボランティアも全く同じ費用を出して参加することで、すべてのお世話は、純粋に同行者の友情で行われます。そうやって、主にイスラエルの旧約と新約の土地を、専門家の講義つきで聖書を勉強しながら旅行するのですが、ある年からイスラエル南部の砂漠に住む遊牧民ベドウィンのテントに泊まる日も旅程に入れました。

ベドウィンのテントでは、簡単なマットを敷いた砂の上で寝袋にもぐり込むだけで、男も女も数十人が一つのテントの下で風に吹かれ、隙間から星の見える夜を過ごします。顔も洗わず、歯も磨かず、服も着替えずに、ごろりと横になるという単純生活のきわみで、一度やったらやみつきになるほど、さわやかなものです。砂漠に野営するなどということは、障害者がなかなかできる体験ではありません。だからこそ、泊めて差し上げたいと思ったのです。

しかし、車椅子の人たちが砂地をトイレまで辿り着くには、必ず誰かの手助けが要ります。それで、私たちはいつでも障害者が気楽にトイレに行かれるよう、若い男たちを中心に、寝ずの番を作りました。西部劇のように、テントの入り口で焚き火をたき、そのそばで不寝番をするのです。インディアンが襲ってくるわけでもありませんが、不寝番は必要な任務でした。

そしたら、当番になった人たちが、「こんな楽しい時間はなかった」と言うのです。不寝番など、ほとんどの人が今まで一度も体験したことがない。火のそばで、酒を飲み、イカの足をかじり、しゃべり明かす。当番でない人まで羨《うらや》ましがって起きてきて加わるんですよ。たまに立ち上がって背を伸ばすためにテントの外へ出れば、悠久の時間を思わせる満天の星が広がっている。生きている実感に満たされたすばらしい夜でした。

筋萎縮性側索硬化症で視力もほとんど失われていた男性は、「生きてこんな砂漠まで来られるとは思いませんでした」と言ってくれましたが、不寝番の人たちに楽しい人生の時を与えてくれたのは、車椅子の彼らだったのです。邂逅というのはそういうものであって、老年にも、「こんなにおもしろいことがあるのか」と思うような体験をしてほしいし、いくつになっても出会うことはできる、と私は思っています。

どんなことにも意味を見出し、人生をおもしろがる

人間というのは、どんな状況も足場にしなくてはなりません。孤独なら孤独で、それをスタンドポイントにして、自分がおもしろいと思うことをやっていくほかにないのですから。スタンドポイントと言っても、足場が悪くてよろめくことも当然あるのですが、ふと気がつくと、隣に手すりがあったり、手を差し伸べてくれる人がいたりすることもあります。

何度も言いますが、してもらうことを期待していると不満が募って、つい愚痴が出る。老人の愚痴は、他人も自分もみじめにするだけで、いいことは一つもありません。それどころか、愚痴ばかり言う老人のそばには、人間が集まらなくなります。愚痴は日陰の感じを与えるからです。反対に、何でもおもしろがっている老人には陽の匂いがして、人が寄って来ます。

時折、常に穏やかでどんなことがあろうと苛立たず、周囲十メートルくらいにいる人全員を和やかな気分にさせる、徳のある老人がいます。「徳性を有する」とは、どういうことか。規定するのはむずかしいですが、一つの目安は、どんなことにも意味を見出し、ど

れだけ人生をおもしろがれるか、ということだろうと思います。

通常、年を重ねた人は、世間の事柄を分析することと、その奥にある密かな理由を推測することに長《た》けてきます。だから簡単には怒れなくなる。しかし最近、分別盛りの中年や世故に長《た》けたはずの老年の中にも、すぐ怒る人が増えてきたような気がしてなりません。そういう年寄りは、たぶん自分の立場や見方だけに絶大な信用をおく幼児性が残っているのでしょう。

立場を変えれば、だれでも少しは相手のカンにさわるような生き方をしているものです。それは、いいとか悪いとかの問題ではなく、ただ生き方が違うだけのことです。

自分と考え方が異なる人に会った時、こんなにも違う人がいるということに驚いて、笑えないと困ります。私の仲間は皆、「ひえーっ」と喜びます。そして笑って、決して「あなたは、お偉いわね」とか、「実は、私もそう思っていたの」とか体裁のいいことは言いません。そのまんま違うことに驚いて、楽しんでいる。

めいめいが自分の生き方と好みをきちんと確立して、人と同じでないことにたじろがず、自分とは違う人を拒否せず、そして、どんな相手にも生き方にも、どんな瞬間にもどんな運命にも意味を見つける。これはもう、芸術家です。

冒険は老年の特権である

三浦雄一郎さんほど有名でなくても、最近は、老年で山登りをしたり、スキーを楽しまれる人が大勢います。この前、テレビで、八十歳を過ぎてからジョギングを始めて、トライアスロンの大会に初出場した男性の話が紹介されていました。

危険がない、とは言えません。人間はだれでも安穏で、事故や事件がないほうがいいに決まっています。しかし、安全だけがいいというわけでもない。だいたい、怖いことや危険なことは一切しないという用心深い人は、おもしろい体験ができません。

私は、日本財団に在職中の一九九七年からほぼ毎年、若手の官僚やマスコミの人たちとアフリカや南米など、世界の貧しい国を視察する旅をしてきました。その時は事前に、あなた方の危険を完全にカバーすることは誰にもできません、とはっきり言います。

アフリカでは陸路を走りますと、百キロに一度は死ぬかと思うような目に遭います。悪路で、大きな接触事故がよく起こりますから。それを考えると、飛行機のほうが安全ですのでチャーターすることもありますが、それはそれで落ちるかもしれません。お乗りになる時は、落ちた場合に所在位置を救援機に知らせるための鏡、そして当座の水とビスケットや飴などを用意してくださいと言っているんです。

マラリアにかかる可能性もあります。それに対しては、マラリア防止のパンフレットを差し上げますし、予防薬も手に入れますが、副作用がありますので飲むか飲まないかは各人の判断です。もしもテロリストに捕まって人質になっても、身代金は一切出しませんから、その時は命はないものと諦めてください。それがお嫌だったら、いらっしゃらないでください、と。ひどい話ですよ。

私なんか小心者ですから、飛行機が落ちた瞬間にペットボトルは全部割れるだろうと思って、軍用水筒に水を入れて持ち歩いたこともありました。これまで、飛行機が落ちたこともテロリストに捕まったこともありませんけれど、皆、いささかの危険を覚悟して参加してくれています。

危険というものは、至るところに潜在しています。よく政治家が「皆さんが安心して暮らせる世の中にします」と言いますが、日本人はそれが可能だと思っているのがおかしいですね。完全な安全など、世界のどこにもありません。安全第一の生活を望むなら、家の中にこもっているしかない。私は、「運がよければ安全に帰れるかも」と思っているおかげで、今もおもしろい生活を続けられています。

年をとるということは、実にすばらしい。少々危険なところへ行っても、もうそろそろ死んでもいい年なのだから、自由な穏やかな気分でいられます。子供が幼い時は死なないほうがいいですね。壮年でもまだ家族のために危険を冒せないということもあるでしょう。たとえば、子供がまだ大学を出ていないとか、大学は出たけれど、なんとか結婚させるまでは生きていてやらなきゃならないとか。でも、それからも解放された老年は、大いに冒険すればいい。冒険は青年や壮年のものではなく、老年の特権だと思います。

いくつになっても話の合う人たちと食事をしたい

今、私がなんとなく好きなのは、人を呼んでご飯を食べることです。料理が好きだし、食べ物で繋《つな》がる人間関係の素朴さが好きなんですね。

でもケチですから、大したごちそうはありません。この間は、四杯二百九十八円のイカで作った塩辛を出しました。そしたら、「もっとないの?」と催促する人がいて、持って帰りたいと言う。まあ、四杯のうち三杯のイカの胴の部分だけで作った塩辛ですから、出し惜しみするようなものじゃないんです。

同級生とは、お互いにご飯をごちそうし合っていて、気楽にあるものを出している。私たちくらいの年齢になると、どうせたくさん食べないから、「一食」じゃなくて「一飯」くらいの付き合いがいちばん楽しい気がします。

私の料理は、いつも一汁二菜、昔風の煮物とかですが、それでも満足してくださいます。冷蔵庫の残り物をうまく使って料理ができる人なんて、たくさんいるでしょう。ちょっと、ごちそうしてみたらどうでしょう。リューマチなど持病があって、台所に立つのが辛いという方たちに料理を作って差し上げたら、すごく喜ばれるし、ご自分も簡単に幸せになれると思います。

私は、いくつになっても、話の合う人たちと食事をしたい。これから先、一人暮らしになる仲間が増えてきますから、そういう人たちと月に何回か集まって、比較的元気な人が料理を作る。干物とかきんぴらごぼうとか、年寄りはそんなものでいい。一人では作る気がしないけれど、食べてくれる人がいたら作りがいがあるでしょう。輪番制にしてもいいし、一人千円くらい集めてもいいと思います。とにかく、いっしょにご飯を食べてしゃべって、後片付けはみんなに手伝ってもらう。

男性も、奥さんに先立たれたり、ずっと長いこと独身だったりする方がいらっしゃいます。現役時代はどんなに偉い地位に就いていた方であろうと、大根を切ってもらったり箸を並べてもらったりして、ともに食事をしたい。やっぱり異性がいたほうが偏りがなくて、楽しいですね。

異性とも遊ぶ

そう言えば、こんなことがありました。

日本財団が笹川良一会長の時代に、ゲートボール場を全国で百カ所目標に作る、と聞いた時、「どうしてそんなにゲートボール場ばかり作るんですか。ゲートボールができるくらいの体力があるなら、畑を耕して菜っぱでも作ったほうがいい」と言った記憶があります。遊ぶことを非難したわけではありませんけど。

当時、六十歳くらいで引退したら生産には従事しないで遊んでいていいのだ、という風潮があったので、むしろ高齢者が働ける場所やシステムを作ることを考えたらどうかという意味を込めていたのです。

ところが、ゲートボールの盛んな土地は医療費や国民健康保険が安くて済んでいるんですって。私より上の世代は昔、都会でない限り、人の噂になりますから男女交際はできなかったのです。年をとって初めて、お日様が燦々と当たる場所で、異性とゲートボールを楽しめる。それが健康にも繋《つな》がっているんですね。それを聞いたとたん、ゲートボールはやったほうがいい、と思いました。

私の女友だちに言わせると、ボーイフレンドはたくさんいるのがいいそうです。彼女は、中年になってから離婚して、その後くらい楽しかったことはない、と話すほど離婚に成功しました。

私が「再婚しなさいよ」と冗談まじりに話したら、「だれが再婚なんかするもんですか」と言う。

ご飯を食べたりオペラに行ったり、旅行したりする男友だちがいっぱいいる。別にセックスの関係があるわけではないらしいけど、こんなに自由で楽しいのに、どうして一人だけを選ばなくちゃならないの、と言いましたよ。

社交ダンスでも、料理教室でも、なんでもいいのですが、男女ともに遊ぶのが老年の付き合いの理想だと思います。その中で、魅力的な男と女になっていただきたい。前に言ったように、男性は背骨を伸ばして、ギャラントリーの精神で女性に接する。女の人も、見苦しくないように新しいセーターの一枚も毎年新調して、初々しい気持ちで身だしなみを整える。

そうすると、健全な色気があって、お互いに楽しいでしょう。人生の最後の時間を、縁のある、気の合った他人と少しずつ共有することができたら、それは大きな幸福です。

そして、友だちが死んでいっても、深く悲しまないようにする。配偶者に先立たれることと同様に、友人に先立たれる場合のことも繰り返し予想して、心の準備をし、その時がきたら、私の生涯をこの上なくおもしろいものにしてくれて、ありがとう、と改めて感謝すればいいのだと私は思っています。

いくつになっても、死の前日でも生き直しができる

老年は、一日一日弱り、病気がちになるという絶対の運命を背負っています。いわば負け戦みたいなものです。どんな人も皆、この勝ち目のない戦いから逃れることはできません。機能の退化や親しい人との死別、社会で不要な存在と思われているかのような状況に、耐えられなくなるのでしょうか、老人の自殺も非常に多い。

警察庁の発表によると、二〇〇九年の全国の自殺者数は三万二千八百四十五人でした。そのうち、六十代が五千九百五十八人、七十代が三千六百七十一人、と全体の二九・三％を占めています。

長く生きるということは決して幸せではない。そう思いそうになりますが、しかし、自殺はいけない。望んでも長く生きられなかった人たちに対して、痛烈な嫌みです。死の床に伏している人など、「あなたの命を買い取りたい」と言いたいくらいでしょう。でも、それは絶対にできません。苦しみさえも甘受するのが当然だと言えるほど、人生は短くて一回きりのものであることを思えば、やはり私たちは自分に与えられた生活を素直に生き抜かなければならないと思います。

私は、四十代の終わりに眼の病気にかかった時、光というものをほとんど感じられず、すべてのものがチョコレート色の暗がりの中で三重にずれていたため、発狂しそうになっていました。中心性網膜炎という眼のストレス病にかかったのが引き金で、極度の白内障が進んでいたのです。

先天性の強度の近視があったので、おそらく眼底も荒れていて、手術後の視力は保証できない、と言われました。検査が続くうちに私の視力はどんどん悪くなり、私は読み書きができなくなって、数本の連載をすべて休載するために、ある日、複数の出版社をお詫びに歩きました。

私は時々、手術が失敗した時の「身の振り方」を考えました。鍼灸マッサージが得意だったので、盲人としてこの職業に就こうと思いましたが、まだ小説に未練もありました。どんなに眼が見えなくなっても、小説は書けると思う、と言ってくれる人もいましたが、私はそれに納得できませんでした。小説は読み直し推敲して、完成する。読み直しが充分にできない状態で、とても長い小説は書けない。

生きてこの眼でもう光を見ることができないのだな、と思うと、呼吸も苦しくなりました。生来の閉所恐怖症もあったので、視力を失うことが生きながら埋められるような気がして、何より怖かった。時折襲ってくる自殺願望を、私らしくない、と笑いとばそうとしていましたが、うまくいかない状態でした。

ところが、私の眼の手術は信じられないほどうまくいったのです。心配していた硝子体の摘出もなく、針で突いたほどの小さな黄斑部と呼ばれる視神経の集まった部分だけが、奇跡的に健全だったおかげで、私の眼は急に健全な人と同じ視力が出るようになりました。五十年近く、眼鏡なしではほとんど見えなかったのに、突然、世の中のすべてが透明に見えるようになったのです。

結論を私流に簡単に言うと、人生はどこでどうなるかわからないから、それを待ったほうがいい、ということです。人間は、いくつになっても、死の前日でも生き直すことができる。最後の一瞬まで、その人が生きてきた意味の答えは出ないかもしれないのですから。

第7章

老い、病気、死と馴れ親しむ

他者への気配りと、忍耐力を養う　老齢になって身につける二つの力

老齢になって身につける「老人性」に、二つの柱があります。一つは利己的になること、もう一つは忍耐がなくなることです。年を重ねることの特徴、あるいは悲しさと言ってもいいのですが、程度の差こそあれ、この二つはだれにでも見受けられます。老齢にやや意図的に逆らって自分を若々しく保ちたいなら、まず利己心を戒め、忍耐力を養うことだと思います。

わがままな老人はどこにでもいます。奥さんがよく離婚しないものだなあ、と思うほど自分勝手なご主人に会ったこともあります。その男性はリタイアして、家でほとんど寝て暮らしているのですが、自分が起きたい時間に起きて、好きな時にご飯を食べる。自分でできないことはないのに、魚の骨も妻に取らせる。幼児と同じです。しかも、自分が入院することも許さないし、女房が外出するのも許さない。家族のことや、まわりのことは全く考えません。

若くても、他者への配慮がなくなったら、それが老人なんですよ。電車の中で足を投げ出して座ったり、眠りこけている人は二十歳でも老年です。言葉を換えて言えば、他者へ

の気配りがあれば七十代でも壮年なのです。

「江戸しぐさ」と言われるものに、後から来た人が座れるように腰をこぶし分だけ浮かせて少しずつ席を詰める「こぶし腰浮かせ」や、道を歩いていて人とぶつからないよう肩を引く「肩ひき」、雨の日はしずくをかけないように外側に傘を傾けてすれ違う「傘かしげ」などがあります。日常、そういう他人へのちょっとした心遣いを忘れないことが大切です。

そして、忍耐力をつける。私の例をあげますと、私は両足を一本ずつ骨折していて、最初に右の足首を折ったのは六十四歳の時でした。厚生労働省のドクターが、それを聞いて「そいつは大変だ」とおっしゃいました。六十四歳の高齢者が足を折ると、三分の一くらいの人は再起できなくなるらしいです。でもその後、寝たきりにもならず、九年ほど日本財団に勤めることができました。

二度目は七十四歳の時。今度は左足首でした。前よりも折れ方がひどかったけれど、それでも、痛い痛いと言いながら歩きましたし、アフリカにもインドにもカンボジアにも行きました。

カンボジアでは、ぬかるみを長靴が脱げそうになりながら歩きました。地雷原を見に行ったのですが、地雷の処理をしている元自衛隊員が、私の足が悪いことをご存じで、「どうぞ、私の腕につかまってください」と親切に言ってくださる。それで、ほんとうに足元が悪いところはつかまらせていただいて、道がよくなったらパッと手を離して、自分で歩くことにしました。

そうすれば、ご厚意も受けて、事故も防げる。全面拒否するのではなく、また全面的に頼るわけでもない。人間らしくて、いい方法だなと発見しました。

そうやってともかく、歩くことはできるのですが、初めの頃は和服を着たくなくなりました。若い頃に和服をわりとよく作ったので、普段着がたくさんあります。だからもう洋服を新調しないで、それらを着潰して死ねばいい、と思っていたんです。ところが、着てみようと思わない。

いつもマッサージをしてもらっている女性に話したら、「足が治ってないんじゃなくて、筋力が衰えたのよ」と言う。筋力というのは、精神力とものすごく繋がっていると私は思うのですが、筋力がなくては、着物姿できちんと裾《すそ》さばきをして姿勢を正して歩くとか、美しくお辞儀をするとか、そういう粋なしぐさができないし、したいという気にもならないわけです。

ああ、そういうことなのかと思って、整形外科のドクターに話したら、「僕は足は治したから」と笑っていました。要するに、タイヤは直した。エンジンを直すのは僕ではない、というわけです。おっしゃる通りだなと思って、私は最近、敢えて着物を着ることで、あまり過激ではない筋力のグレードアップをはかっています。

人によって、老い方も程度も違うでしょう。自分の老いたところを素直に受け止めて、それにやや軽く抗する。日常生活の中で、そういう訓練を繰り返すのが、私はいいのではないかと思います。

七十五歳くらいから肉体の衰えを感じ始める

人間の老化には、七十五歳ラインとでも呼ぶべきものがあるような気がします。後期高齢者医療制度について、「なぜ、七十五歳からなんだ」という反論もありましたが、実に妥当な線引きだと思います。ほんとうに、七十五歳前後を境に病人が一気に増えるというのが私の実感です。

クラス会に顔を出すとよくわかります。七十五歳を過ぎたら、四人のうち三人はどこかが悪い。膝や関節を悪くして長い距離を歩けなくなった人やガンの手術をした人、脳溢血で寝たきりになって出席できない人。会わない間に亡くなっている人もいます。

私も七十五歳を目前に足首を骨折しました。いまだに完全でないのは、年齢が治癒を遅らせているのだと思います。最近は、百歳でも健康な方がいらっしゃいますが、一般的には、七十五歳くらいからそういう肉体的年齢になるわけです。実にみごとな厚生労働省の大ヒットだと思います。

冒頭でも述べたように、二〇五五年には、国民の四人に一人以上が後期高齢者になり、現役世代の一・三人が後期高齢者一人を支える社会になるといわれています。そうなると、できるだけ若い人たちの負担が軽くなるように努めようとするのが当然なんですけどね。現実を正視しないで、当たり前のことに「我々を殺す気か」などとカッカ、カッカするのは、精神の老化かもしれません。

八十代の夫は、まだ分け方が足らないと言うんですよ。皮肉な人ですから。もっと詳細に「初期高齢者」「中期高齢者」「後期高齢者」「晩期高齢者」「終期高齢者」「末期高齢者」

というふうに、実感があるように分けたほうがいい、なんて笑っています。

はっきり言って、後期高齢者医療制度を生み出した張本人は、医者に通うのが趣味になっている高齢者たちだと私は思います。ちょっとしたことで病院へ行ったり、高い薬をもらってもきちんと服用しないで捨てたりしている人が少なくありません。

「二〇〇八年版 高齢社会白書」によると、健康についての高齢者の意識をアメリカ、ドイツ、フランス、韓国の四カ国と比較してみた場合、「健康である」と考えている人の割合は、日本が六四・四%といちばん多く、アメリカ六一・〇%、フランス五三・五%、韓国%四三・二%、ドイツ三二・九%の順になっています。

しかし、医療サービスの利用状況は、「ほぼ毎日」から「月に一回くらい」までの割合の合計が日本は五六・八%と、他の国と比較して医療サービスの利用頻度がいちばん高いらしいです。

この背景には、全員が全員でないにせよ、「保険料を払っているのだから、元を取らなくては」「健康保険はいくらでも使ったが勝ちよ」という考えがあるからではないでしょうか。元を取るという発想は、商人の行為なんです。元を取ろうとしないのが、人間の上等な生き方だと思います。

私が加入している後期高齢者医療保険料は、年間五十万円ほどです。足の骨折をした年は、健康保険をうんと使ってしまいましたが、それまでは払い込んだだけ使わない年が多かったような気がします。それが、私のせめてもの「自慢」でした。これから死ぬ日まで、なんとか思考と運動機能を細々と保ち続け、健康保険をできるだけ使わないようにすることが、私の目標の一つです。

幸い健康なら、保険を使わずに病気の方におまわしできてよかったなと思う。そして、できるだけ医者にはかからなくて済むように心がけて、たとえば、健康保険を二十年使わなかった人には「健康賞」とか勲章をあげたらいいですね。そのバッジをいつも背広に付けて歩けるのは、すばらしいことだと思います。

健康を保つことを任務にする

健康の基本は、やはり食事です。意外に思われるかもしれませんけど、私は、毎日の食事に手を抜かないようにしています。と言っても、私が「おかずを作って」と話すと、

「質素なおかずを作って、と言いなさいよ」とからかう人がいるほどの粗食です。

ブリ大根と、大根の葉っぱを炒めたものと、おから。そんなものですが、ほとんど私が作るんです。老人用健康食ですよ。一人の時でも、野菜のおかずをきちんと作って、蒲鉾があれば二切れ付けたりする。栄養のバランスをそこそこ考えて、料理を作る努力を怠らないだけです。

昔は、健康管理に役立つ本をかなり読みました。五十歳を過ぎた頃から、漢方や整体、鍼灸、指圧の本など、素人向きから専門家向きのものまで読むようになって、知り得た知識で、自分なりにやってきました。鍼も自分で打てますし、マッサージは天賦の才能だと思うくらい上手です。

最も役に立ったのは、漢方の知識です。膝の痛みなどは、漢方薬で治りました。五十歳くらいの時、膝が腫れて痛むようになり、病院へ行ったら「もうお年ですから仕方がないですね」と言われたのです。母も同じ症状があったので、そうなのだろうと思いましたが、諦めるわけにはいきませんでした。

当時、私は地中海沿岸の文化や聖パウロについての調査をしていました。旅行中は私が炊事担当で、床に広げたスーツケースの中から必要な調理用具を探したり、持参した鮭の缶詰とかインスタントのカレーとかを出したり、残りをきちんと整理しなくてはいけない。ひざまずくことができなくなると、その任務も果たせなくなります。

私は、遠征を続けるために、なんとか膝を治そうと決め、漢方の本で独学しました。自分が低血圧で、血の巡りが悪いという感じがあったので、手始めに血流を促す薬を使ってみたら、三カ月後に何の痛みもなく、膝の屈伸ができるようになっていたんです。

私には、低体温の傾向がありました。体温を上げることが自分の健康を保つ基本だと思っていましたが、お風呂に入っても、お酒を飲んでも上がりません。でも、ここ数年、淋《りん》巴《ぱ》マッサージを受けるようになったら、体温が三十六度五分くらいまで上がるようになりました。

淋巴マッサージを受けるようになったのは、脇の下にしこりができたからです。私の体は、いつのまにか淋巴の集まるところがすべて固くしこっていました。おそらく私の職業のせいと、性格の悪さのせいもあるだろうと思います。

書く時は椅子に座ったままですから、働けば働くほど運動不足になります。私は若い時からスポーツをすると必ずと言っていいほど、小さな故障を起こしました。だから運動らしきものは何もせず、こまめに家の中を動き回る程度がいちばん体にいいと思っていたのですが、その結果、私は淋巴の集まる手足の付け根を極端に動かすことが少ない生活を長年続けてしまっていたのかもしれません。

私たちの世代は、老後に対する覚悟がまだまだ足りなかったのかもしれない。私が『戒老録』を書き始めたのは三十七歳の時でした。当時、日本女性の平均寿命は七十四歳でしたから、三十七歳の誕生日に「ちょうど折り返し点だ」と思って、自分の老いを戒めるものを書き始めたのです。

しかし平均寿命は、二〇〇九年現在で、男性七十九・五九歳、女性は八十六・四四歳に延び、五五年には、男性八十三・六七歳、女性は九十・三四歳になると見込まれています。もし百歳まで生きてしまうなら、かなり手前から体を保たせることを仕事にすべきです。深酒や喫煙をやめ、運動を習慣づけ、家庭で作った料理を食べ、死ぬ日まで自分のことはどうにか自分でする、という強固な意志が必要だと思います。

病気も込みで人生、という心構えを持つ

病気はしないと決心して、あらゆる予防処置をしたほうがいい。しかし病気がない人生は、たぶん非常に少ないと思います。そうであれば、「機能と五感が正常であるのが人間だ」という発想を、変えたほうがいいんですね。つまり病気も込みで人間、いいことも悪いことも込みで人生だ、という心構えをしておく必要があると私は思っています。

病気は、決定的な不幸ではありません。それは一つの状態です。病気になると、なかなかそうは思えませんが、決して悪い面ばかりではない。病苦が人間をふくよかなものにするケースはよくあります。

それは、その時まで自信に満ちていた人も、信じられないくらい謙虚になるからです。謙虚さというものは、その人が健康と順境を与えられている時は身につけることがなかなか難しいのです。

病気によって、新しい生き方を発見する人もいます。十代で階段から落ちて下半身不随になり、車椅子の生活になったから、車椅子の人たちのために働き始めたとか、結核で入院していた四年間に人生を見つめ直して神父になったとか、そういう例はいくらでもあり

ます。

私自身も、健康で恐れるものが比較的少なかった時にも学びましたが、怪我で自信を失った何度目かの時に、もっと深く人生を味わったような気もしました。病気になった時、うまくいけば、とてもいい時間を持つことができるかもしれない。そうできるかどうかが、人間の一つの能力で才能なのかもしれません。

病の結果として、片耳が聞こえなくなったり、視力が衰えてきたり、元へ戻らない状況になる場合もあるでしょう。私の知り合いに、抗がん剤の後遺症で匂いを全く感じることができなくなった人がいます。しかし、それでも料理はうまくて、今も食いしん坊です。そういう、みごとな人もいます。

病人になっても明るく振る舞うこと、喜びを見つけること

病人は、老人と同じように「労ってもらって当たり前」という精神構造に陥りやすいので、たいていは自己中心です。体が辛い時はやはり不機嫌にもなるし、「なんで自分の辛さがわからないんだ」と腹も立つ。それは仕方がないことだと思います。

しかし、当然だからといって、そのまま、そのような顔をしていていいということは、この世にはありません。長く生きてきた者としての強みがあれば、そこで少しばかり、周囲の人たちが不愉快にならないように、内心はどうあろうと、明るく振る舞うという配慮をしなければいけない。

聖書の中に「喜べ！」という記述があります。これは、人生に対する命令です。聖パウロは、「喜びを見つけること」が、私たちがほんものの幸福を手にすることのできる第一の鍵だと言います。

以前、皇后さまとその話題になった時、そうすることがどんなに難しいことでしょう、とおっしゃいました。私は驚くと同時に、非常にうれしかったのを覚えています。どんな時も喜びなさい、と言われても、なかなか喜べるものではありません。しかしパウロは、自分の意志によって喜びなさいと言うのです。

たとえば、これまで自分が生きてこられたのはだれのおかげで、どういう幸運のもとにあるのかを考えてみる。不景気の中にあっても、砲弾が飛んでこない。テロの危険もない。電気と水道がきちんと供給されている。今晩、食べるものがある、と喜ぶ。これは、一つの才能だと言っていいかもしれません。

私はほかの才能にはほとんど自信がないけれど、喜びを見つけることだけはもしかするとかなりうまいのかなと思う時があります。

この自信はいささか面映《おもは》ゆいのですが、足が痛くても、「ああ、歩けてよかった」と思う。ともかく、かなり遠くまでも一人で行ける。飛行機も電車もあるし、どうしても辛かったらタクシーに乗ることもできます。そして、今日、自分はこれだけ自力で移動できた、ということがとてもうれしい。そういう気持ちでいないと、つまらない。

がんを患っても、前と変わりなく会話を楽しみ、にこやかな顔をしている人が私のまわりにはけっこういました。一方で、人に会っていて、時々、「この人は健康ではないのかもしれない」と思うことがあります。私自身も健康か不健康か、もろに顔に出ることがあるらしく、深く反省することが多いのですが、死病になっても、できる限り明るく振る舞いたい。たとえ心は不安でいっぱいであろうと、うなだれずに背筋を伸ばして歩き、見知らぬ人に会えば微笑する。うまくいくかどうか自信はありませんが、それが、私の晩年の美学なんです。

死に馴れ親しむ

ある雑誌にエッセイを連載していて、その中で、「老・病・死というのは、いかなる時にも厳然たる不合理として付きまとうのだ」と書きました。そしたら間もなく、知人の健康なお嬢さんが生後七カ月で亡くなってしまいました。突然死です。娘たちの成長がおもしろくて楽しくてたまらない子煩悩な父親で、朝起きて娘の顔を覗き込んだら、息をしていなかったという。

高齢なら死んでもいいとは言いませんが、生まれてから、わずか七カ月です。私はその時に、この世とはなんと残酷なところだろう、つくづく人生は何事も信じられない、と改めて思いました。

ほんとうに、人間は運命にあざ笑われています。私たちの予測や思いは、「そういうものでもないんだよ」と簡単に裏切られる。末期がんでもうダメかと思っていた人が、そのうち快復して何年も元気に暮らしていたり、健康そのものだった人がころりと死んでしまったりする。私たちの未来はすべてにおいて、一瞬先の保証もありません。

しかし、その中でたった一つ、確かなことがあります。それは、だれもがいつかは必ず死ぬ、ということです。感動的なくらい不思議なことですが、何一つ確実でないこの世で、死ぬということだけが確実なのです。

私は、生きながら人間を失っていく人もたくさん見てきました。大儀で口を利かなくなる、耳がよく聞こえなくなる、反応が鈍くなる。そうやって、老いと共に、長い時間をかけて部分的に死んでいきます。この部分死が存在することを承認しなくてはならないし、それが本番の死を受け入れる準備になるのでしょう。

耳が遠くなれば、補聴器を付けたりして少しは改善することができます。しかし、もし私が歩けなくなったら、どこへも行けなくなるという意味で、足から死んでいくことになるのでしょう。餌を取れませんから、動物だったらもう死ぬ運命です。

昔、ある物理学者が、私が失明するかもしれない眼病になった時に、こうおっしゃいました。「目が見えなくなったら、死ぬべき運命なんですよ。なぜなら、動物としては、餌を取れなくなれば死ぬよりしょうがないから」と。私は、そういう率直で科学的なものの言い方をする人が好きで、ああ、なるほど、と感心したものです。

でもそれから間もなく、私は、その先生が総入れ歯だという非常にうれしい発見をしてね、逆襲したんですよ。「歯がなくなったら、動物としては死ぬ運命ですよ。餌を取ってきても食べられませんから」と。お互いに、「動物じゃなくてよかったね」というのが結論です。動物としての運命をそこで承認し、納得しつつ笑えばいい。

死は願わしいことではありませんが、必ずやって来ます。願わしくないことを超えるには、それから目を逸らしていては解決できません。死は確固としてその人の未来ですから、死を考えるということは前向きな姿勢なのです。

走れなくなったり、噛めなくなったりすることも、死ぬべき運命に向かっているのだということを、ちゃんと自覚したほうがいい。自分がそうなる前から、そうなった時のことを考えるのが、人間と動物を分ける根本的な能力の差であることを思えば、私はやはり前々から、老いにも死にも、馴れ親しむほうがいいように思います。

私はカトリックの学校で育ったので、幼稚園の頃から、毎日、自分の臨終の時のために祈る癖をつけられ、「灰の水曜日」と呼ばれる祝日には司祭の手で額に灰を塗られて、塵に還る人間の生涯を考えるように言われました。もちろん、当時の私が死をまともに理解していたとは思われません。しかし、いつか人間には終わりがある、ということを、私は感じていました。

シスターたちが、「この生涯はほんの短い旅にすぎません」と言うのも度々聞いたことがあります。百年生きたとしても、地球が始まってからのことを思えば、大したことがない、と。そういう教育を受けたことは、この上ない贅沢だったと思っています。

死を認識すれば、死ぬまでにやりたいことが見えてきます。死ぬ前に甘い大福をお腹いっぱい食べたい、という人がいるかもしれません。それでもいいのですが、とにかく死ぬまでにやりたいと思うことを明瞭に見つけて、そちらの方向へ歩いて行く。そして、ある日、時間切れで死んでしまう。だれでも最後はだいたいそういうものです。しかし、いいこと、おもしろいこと、凄いことをやる人は皆、心のどこかに確実に死の観念を持ち続けていたような気がします。

一人になった時の予行演習をする

どんなに仲のよい友だちであろうと、夫婦であろうと、死ぬ時は一人です。基本的に親は先に死にますし、子供を亡くすこともありますから、一人になった時のことを繰り返し

繰り返し考えておくべきなんでしょう。

これは、火災訓練と同じようなものです。いざ直面した時に、おたおたして、うまくいかないかもしれません。たぶん、そんな予行演習をやっておいても全く無駄だった、ということになるのでしょう。でも、「妻に先立たれるなんて、考えたこともありませんでした」などと言う人の話を聞くと、私は不思議でしょうがない。

私は、子供が小さい時から常に自分と子供の二人だけ残されたらどうするかを考えていました。別に夫が病弱でも病気をしていたわけでもありません。ただ、人間はいつ死ぬかわからないと思っていたからです。

私はすでに小説を書いていましたが、当時の主な全国紙には言論統制がありましたから、何も書けない状況になった時に、小説以外の何の仕事で幼児と生きていこうかと考えました。それで、ひと月に一度、読売新聞を買いに行ったものです。その頃、読売新聞は求人広告がいちばん多かったからです。

就職先でいちばんいいと思ったのは、汲み取り式トイレの糞尿を回収するバキュームカーの運転手でした。臭い、汚い仕事で、なり手がなくて日給が高い。私は、小さい時に母から「世の中で、汚くて嫌われている仕事をすることが、ある意味で最も尊い仕事です」と習いました。だから、そういう社会的に意味のある仕事でお金も儲かるならいいなと思っていたのです。

一九六〇年代後半には、産経新聞を除く全国紙は中国に対していささかでも批判的な記事は一切載せないという姿勢でしたが、日本の雑誌社系の週刊誌は私の作家としての生活をどうやら可能にしてくれました。ほとんど一致して、朝日、毎日、読売など全国紙の思想統制の動きに対抗したからでした。幸い、夫に先立たれることもなく、子供も五十代の壮年になっています。

私のような性分を苦労性とか心配性とか言うのでしょう。全然悪いことを考えないという恵まれた性格の人もいるし、私みたいに悪い予感とずっと付き合っている人間もいます。それはただ、限りなくその人の特徴であって、どちらがいいとか悪いとか言えない。その人が与えられた性格のままに生きるよりしょうがありません。

だれでも自分が得ているものを失うのは怖いですが、私は、今そうではない状況に対して心理的に考えて備えるより仕方がないと思っています。

一日一日、「今日までありがとうございました」と心の帳尻合わせをする

もう一つ、自分の最後を考えておかなくてはなりません。子供を当てにしてはいけないし、子供が先に死ぬこともあります。「どうにか頑張って一人で暮らします」と言っても、できない場合もありますから。私は、その時はお金と相談のうえで施設に入れてもらうつもりです。

今、知り合いが長期療養病棟に入っています。もう意識はあまりありません。お嫁さんがみているので、参考のために入院費を率直に聞いたら、毎月、十万五千円から十一万円の間で、「お義母さんの年金から払えます」と話していました。おむつ代やお嫁さんが病院に通う費用なども年金で賄えるそうです。

そういうお金がなければ、路頭に迷う覚悟をする。今、経済的に不安がなかったとしても、それが長く続く保証はありませんし、明日、自分の身に何が起こるかわかりません。今日は歩けて、おしゃべりができて、ご飯が食べられたけれど、明日は口が利けなくなるかもしれないし、目が見えなくなるかもしれない。明日の保証はない、と覚悟する。これは老年の身だしなみなんです。

常に過去にあった、いいこと、楽しかったことをよく記憶しておいて、いつもその実感とともに生きればいい。これだけ、おもしろい人生を送ったのだから、もういつ死んでもいい、ということです。そして、まともな祈りができない時には、「今日まで、ありがとうございました」と、たった一言、神への感謝だけはすることにしています。

そうやって、一日一日、心の帳尻を合わせておくと、いつどういう変化に襲われても、やんわり受け入れられそうな気がします。

跡形もなく消えるのが美しい

『戒老録』を書いた三十代後半から、死ぬまでにものを減らさなければならない、と思っていました。衣服はあまり買わないようにしようとか、食器などもこれ以上は増やさないようにしようとか心がけてきましたが、それでも、旅に出てきれいなものを見るとついほしくなって買ってしまうことは今でもあります。

しかし七十歳もすぎれば、そういう煩悩も薄れますし、先が短いのですから、ますますものを減らさなくてはいけないと心に銘じています。

最近、時間を見つけては、写真の整理をしています。残された者は始末するのが面倒臭くてたまらないでしょう。もうすでにかなりの量を焼きましたが、自分の写真を残すとしたら五十枚だけにしようと思っています。これは、全く個人的なつまらない目的ですが、高齢者にとっては重要な仕事だと思います。

私たち夫婦は、これまでの肉筆原稿もすべて焼いてしまいました。文学館とか自分の胸像とか建てたがる人がいますが、私にはなぜ、そんなに世間に覚えていてもらいたいのか全然わからない。どんなに無理をしても、死者は忘れられるものですからね。

句碑、歌碑、文学碑は、景色の邪魔になります。文学館は、後で必ずと言っていいくらい赤字経営になり、地元に苦労をかけます。夫も私も、そういうことにいささかも興味がありません。

私は、死んだ後のことは何一つ望まない。自分の葬式も必要ないと思っているくらいです。肉体が消えてなくなったのを機に、ぱたりと一切の存在がなくなるようにしてほしい。何もかもきれいに跡形もなく消えるのが、死者のこの世に対する最高の折り目正しさだと思っているからです。

その点、うちの母は実にみごとな始末をして、この世を去りました。ずいぶん長く体が悪かったのですが、もう外出はできなくなったと自分でも思ったのか、死の数年前に、着物や指輪をほとんど全部、ほしいという人にあげてしまいました。

残したのは、草履二足と、まともな着物は二枚だけ。その二枚は、私が沖縄で買ってきた琉球紬で、「これは、私が後で着るんだから、人にあげちゃだめよ」と言って母に渡したものでした。

八十三歳で亡くなるまで、母は六畳に半間の押入れと小さなキッチン、バス・トイレがついた離れに、整理ダンス一つだけ置いて暮らしていましたが、遺品を整理するのに半日しかかかりませんでした。妙な言い方ですが、母が亡くなった時、わずかばかり持っていたへそくりも、ちょうど尽きかけていました。

財産でさえ、うっかり残すと、遺族は手数がかかります。何も残さないのが最大の子供孝行のような気がします。

遺産をめぐって残された人々が争うくらい、惨めなものはありません。遺産が少なくても多くても揉めているという世間の話を聞くと、遺言状を書いておくのも義務の一つだと思います。子供が何人かいる場合は、親の遺した大島紬の着物一枚でも争うそうです。だから、これは長女へ、これは次女へというふうに形見分けもちゃんとして、それ以外のものは全部捨てるか、売るかして、売った現金は相続人の数で分けるなど、とにかく禍根を残さないように、はっきり決めておくべきです。

第8章

神様の視点を持てば、人生と世界が理解できる

あの世があるか、ないか、わからないが、分からないものはあるほうに賭ける

私は一応カトリック教徒ですが、あの世があるのか、ないのか、わかりません。ある朝は、たしかにあるような気がするし、ある夕方はないような気がします。絶対に証明できないことですから、どちらとも言い切れません。

ですから私は、「あるか、ないか、わからないものは、あるほうに賭ける」ことにしているんです。

日頃は無神論で通してきて、子供が事故に遭ったり、妻が病気になったりしたら突然、神仏に祈りだす、というのは、あまりいい感じがしません。息子の就職が問題になると、慌ててウイスキーを買って、長年ご無沙汰していた知人の社長さんに挨拶に行くようなものでしょう。相手だって、白けた気分になりますよ。何かお願いする可能性があるのなら、普段から「いつも家族ぐるみでお世話になりまして」と挨拶をして、盆暮れには付け届けをする。それが、私の宗教との付き合い方です。

とは言っても、教会に行くのをよくさぼるし、「敬虔な」という形容詞をつけられると、当惑して逆上しそうになるくらいのいい加減なクリスチャンです。友だちには無神論者もたくさんいて、「あの世なんてあるもんですか」と言い切る人もいますが、私は何のわだかまりもなく仲良く過ごしてきました。でも、死によって何もなくなる、という考えによく耐えられるものだと思うことはあります。

以前、伊藤栄樹という検事総長だった方が『人は死ねばゴミになる』という本を出しましたが、そんなふうに言う人はけっこう多いんですね。言われた家族はたまらないと思います。肉体は消えてしまいますが、人間の心はゴミとは全然別のものですもの。

私は、なんとなく死んだ人の視線を感じることがあります。視線としか言いようがありませんが、その眼差しの中で、遺族はやはり幸せになってほしい。亡くなった人が家族を見る時、だれもが今まで通りに元気で暮らしてくれているのがいちばんうれしいだろうと思います。

私の友人たちは、配偶者をなくしても、皆それぞれに楽しく人生を送っています。それは、故人への愛もあると思います。先立った人は自分がイキイキと暮らしていることを見たいと思っているだろう。みごとな人生を生きてやらないと、連れ合いがかわいそうだ、と思うのも自然でしょう。そういうあたたかい気持ちがその人を動かしている。

もし私が先に死んでもそう願うでしょうし、自分が残された場合は、一人の時間を私らしく生きていけたらいいな、と思います。また、どんなに苦しくてもそういうふうに生きるべきでしょう。

亡き人と自分が残していく者のことを考えると、宗教的行事も大事な気がします。日本人には無神論者が多いと言っても、クリスマスの日は教会はいっぱいですし、有名なお寺や神社に行くと一所懸命にお参りしている老人をたくさん見かけます。多くは、真の意味において、宗教的な行為ではないのかもしれません。

しかし、無為に過ごすことが多くなる老年にとって、墓参やお寺参り、お坊さんの講話を聞きに行くことなど、外出の目的ができるのは、心身の健康を保つためにはいいことだと思います。

神様がいると思ったことが、二度ある

たしかに神さまはいらっしゃる、と思ったことが二度ありました。

一度は、私がアフリカのマダガスカルで、賭けをした時のことです。一九八三年のことですが、私は新聞の連載小説『時の止まった赤ん坊』の取材をするために、アンツィラベという土地で修道会が運営しているアベ・マリア産院に三週間滞在しました。その帰り、首都のアンタナナリボのホテルに泊まった最後の夜、マダガスカルに駐在する商社マンに誘われて、ホテルの最上階にあるカジノに出かけたのです。

私は博打は好きではありません。でも、私が書こうとしている主人公を生かすためには、カジノもまた場として必要になるかもしれないからと、同行しました。そして私はエレベーターの中で、その人に言ったのです。

「もし、これで大金を儲けたら、そっくりそのまま、あの貧しいシスターたちにあげることにしましょう」

賭け金の上限も決められているしょぼくれたカジノで、ケチな私は百ドルだけチップを買いました。ルーレットは一台しかやっていなかったのですが、座る席も気にもなりませんでした。私は同行者にチップを張ってもらうことにしました。

「早くすって帰って寝よう」と、私は考えていましたが、ルーレットを見つめて、光っているように見えた数字に二度張ったら、二度とも当たったのです。その時、「敬虔なクリスチャン」ではない私は、神さまは博打場にもいらっしゃるのだ、と思ったんですね。けちな賭場だったので、儲けも四万円くらいとわずかでしたが、私は神さまと約束した通り、儲けをすべてアベ・マリア産院に寄付しました。それが、私たちが海外邦人宣教者活動援助後援会（ＪＯＭＡＳ）を始める元になったのです。

もう一度、神様の存在を確信したのは、そのＪＯＭＡＳに、ある女性から寄付をいただいた時でした。一人で立派に看護師として生きてきた方でしたが、私たちの会に遺産を譲りたいという遺言を残してくれたのです。私たちは、お金を受け取る時は決して一人で受け取らないという掟を作っていますので、ＪＯＭＡＳの会議を開いた時にいただきたい、とその女性の三人の遺言執行人にお願いしました。

私は運営委員会を早く開きたかったのですが、ちょうど夏休みでメンバーがなかなか集まりません。どうにか会議ができたのは九月半ばで、遺言執行人の三人にも来ていただきました。そこで初めて、遺産は定期預金で、四百五十三万円余りあるということを知りました。さらに驚いたのは、満期になるのが、その前日だったのです。背中に寒いものが走りました。その時も、私は神さまの介在を感じずにはいられませんでした。

嫌いな人でも嫌いなままで、「理性の愛」

神は天国にいるとか、私たちのそばにいるとか、いろいろ言われますが、聖書には「はっきり言っておく。わたしの兄弟であるこの最も小さい者の一人にしたのは、わたしにしてくれたことなのである」（マタイによる福音書25章40節）と書かれています。つまり、神は今、あなたが相対している人の中にいる、と言うのです。

それを知った時、私は困惑しました。なぜなら、人に意地悪すると、神にも意地悪をしたことになる。喧嘩をすると、私は神にも喧嘩を売っていることになるからです。

私が、大久保清という連続殺人犯の事件をモデルにした新聞小説『天上の青』を書いたのは、「あらゆる人のなかに神がいる」という証明を試みようとしたのです。そしたら、今でも忘れられませんが、一人の老人から手紙が来ました。小説家ともあろうものが、このような不道徳な筋を書くのはけしからん、と。

でも、相対している人の中に神がいる、という思想があるからこそ、シスターたちは、相手が嘘つきであろうと狡かろうと、困っている人は皆助けるのです。

私の経験からでも、貧しい人たちが必ずしも心が美しいわけではありません。貧困が人間らしい心を失わせる場合も実に多い。しかし、態度のいい相手にだけ優しくするのではなく、むしろ嫌な相手にさえ尽くし続けることがボランティアの基本精神です。

聖書の愛には、親子の情愛、性的な関心、友愛、それから「敵を愛しなさい」（ルカによる福音書6章27～36節）という時の苦痛に満ちた「アガペー」という本物の愛があります。これは、嫌いな人に対してでも、努力して、心から愛しているのと同じような行動をとる「理性の愛」のことです。

アガペーのいちばん悲痛な形が赤十字で、傷ついた敵を撃ち殺さないで救う。敵はやはり憎いし、殺したいですよ。でも、そこを思い留まる。そういう理性の愛だけが、ほんとうの愛だと聖書は言います。

わかりやすく言えば、嫌いな姑さんがいたら、無理に好きになることはない。嫌いなままでいいけれど、自分の母親ならどうするだろうかと思うことを意志の力でやりなさい。嫌いな嫁がいたら、嫌いなままでよろしい、しかし自分の娘に対してするのと同じことをやりなさい、ということです。

口で言うほど簡単にはできません。途中で何度も挫折しながら、何年もかかって大きな建物を地道に建造するのと同じ操作で完成するのでしょうけれど、すごくいい定義だと思います。私は大酒飲みではないのでわかりませんが、ほんとうの愛は、きっと、いいお酒のように香《かぐわ》しいものだと思います。

引き算の不幸ではなく、足し算の幸福を

私はキリスト教の信仰から、失ったものを数え上げずに、持っているものを大切に思うことを子供の時から習慣づけられました。自分が持っているくだらないものを評価できるのは、それも平凡で日常的なものですけれど、一種の芸術だと思います。これが私の足し算の原理です。出発点を低いところにおけば、すべてがそれより幸運なわけですから、どんどん足し算ができるのです。

生まれてきた時は、皆ゼロです。それを考えたら、わずかなものでもあればありがたいと思う。ああ、こんなこともしていただいた、あんなこともしていただいたという足し算で考えれば不満の持ちようがありません。

でも、あって当然、もらって当然と思っていると、わずかでも手に入らなければマイナ

スに感じて、不服や不満を言い始める。これを、引き算の不幸と言います。

今の日本は皆の意識が「引き算型」になっている気がします。豊かさであれ、安全であれ、すべて世の中が与えてくれるのが当たり前、と百点満点を基準にして望むから、不満ばかりが募って、どんどん不幸になっていくわけです。

老人にも大きく分けて二つの生き方がある、と私はよく思う。得られなかったものや失ったものだけを数えて落ち込んでいる人と、幸いにももらったものを大切に数え上げている人がいます。さまざまなものを失っていく晩年こそ、自分の得ているもので幸福を創り出す才覚が必要だと思います。

私はアフリカをかなりよく知るようになってから、人間の一生に与えられるものに関して、ずいぶん謙虚になりました。

一生の間に、ともかく雨露を凌ぐ家に住んで、毎日食べるものがあった、という生活をできたのなら、その人の人生は基本的に「成功」だと思います。もしその家に風呂やトイレがあり、健康を害するほどの暑さや寒さからも守られ、毎日乾いた布団に寝られて、ボロでもない衣服を身につけて暮らすことができ、毎日、おいしい食事をとり、戦乱に巻き込まれず、病気の時には医療を受けられるような生活ができたなら、その人の人生は地球レベルでも「かなり幸運」です。

もしその人が、自分の好きな勉強をし、社会の一部に組み込まれて働き、愛も知り、人生の一部を選ぶことができ、自由に旅行し、好きな読書をし、趣味に生きる面も許され、家族や友だちから信頼や尊敬、好意を受けたなら、もうそれだけで、その人の人生は文句なしに「大成功」だった、と言えます。

信仰を持つと価値判断が一方的にならない

神はいないと言う人が多いけれど、神なしで生きられるなら、それでいい。しかし私は、神という概念がないと、人間という分際を逸脱する気がします。

信仰を持つと、価値判断が一方的になりません。世の中には、神も社会もいいと言うものがある。一方で、世間は褒めそやすけれど、神は「そんなことはよくない」と思われるようなこともある。社会がよくないと言ったり悪だと糾弾したりしても、神は「それは正しい」と言うものもある。もちろん、神も社会も「よくない」と言うこともある。神が存在していることによって、物事をもっと複眼で見ることができるようになるのです。

私たちは始終誤解されます。誤解されるようないい加減なこともやっているわけですが、人の評価と自分の思いは絶えず違う。でも、神があれば、誤解されっ放しでもいい。神だけが、私が何をしたか、ほんとうのことを知っている。いちばん怖いのは世間でなく、自分の内心とほんとうのことを知っていらっしゃる「その方」だけなんです。

本人しかこまかい事情を知っている人はいないのに、知らない他人が勝手に判断したことなど正しいはずがない。また、本人が判断したことも、正しいとは言い切れない。病気になって、A病院とB病院のどちらに行ったらいいのか浅知恵で決めますが、ほんとうのところはわかりません。あとで間違ったと気づいても、信仰があると、私の眼がなかったとはあまり思わない。そういう誤差や人間の弱さを容認できるんですね。自分に対しても、人に対しても厳しくなくなって、とても楽になれます。

私は、「人並み」という言葉が好きですが、大きな広い意味で、私たちは人並みです。その中にいれば、気楽でいいじゃないですか。人並みから大きくはずれるのは、大変な人ですから、それ以外の私たちは皆人並み。「人並み」という言葉の持つ、信じがたいほどの広大な包容性がすばらしいと思います。

神の視点があってこそ、初めて人間世界の全体像を理解できる

宗教団体の見分け方についてでは、いつも言うことですが、教団の指導者が神や仏の生まれ変わりだと言わず、質素な生活をし、信仰の名のもとに金銭を要求せず、教団の組織を政治や他の権力に利用しようとしない限り、別に用心する必要はありません。

私は決してだれもが信仰を持つべきだ、などと言うつもりはありません。しかし、人間の視点だけで、人間の世界が見通せるとはどうしても思えない。私たちは地形を総合的に把握しようとする時、自分の身長だけでは足らず、必ず高みに登ります。それと同じように、神の視点というものがあってこそ、初めて私たちは人間世界の全体像を理解できるような気がしてならないのです。

私は四十代で遅まきながら聖書を勉強して、度の合った眼鏡をかけてもらったように人生がよく見えてきました。聖書には、正しい理論の反対も正しい、ということも書いてありますから、どんなことにも全部意味があるように思えてきました。何もかも、ほんとうに自由な精神で見られるようになりました。

若いうちは、複雑な老年を生きる才覚がありません。しかし、多くの人は、年をとって体の自由が利かなくなったり、美しい容貌の人が醜くなったり、社会的地位を失ったりしていく中で、その人なりに成長します。

つまり少年期、青年期は体の発育期、壮年と老年は精神の完成期であり、とりわけ老年期の比重は大変重い。

私は、孤独と絶望こそ、人生の最後に充分味わうべき境地なのだと思う時があります。この二つの究極の感情を体験しない人は、たぶん人間として完成しない。孤独と絶望は、勇気ある老人に対して「最後にもう一段階、立派な人間になって来いよ」と言われるに等しい、神の贈り物なのだと思います。

神われらと共に

私たちは現世では、一人で泣いて一人で苦しんでいるように思いますが、そうではありません。そのことに関して、私はアデマール・デ・パロスというブラジルの詩人の、「神われらと共に」（別名・浜辺の足跡）というすばらしい詩を思い出します。
　この詩をしみじみ思える人生を生きている人が、私のまわりにたくさんいました。そういう人たちの人生を見ることができて、ほんとうによかった、と思います。

夢を見た、クリスマスの夜。
浜辺を歩いていた、主と並んで。
砂の上に二人の足が、二人の足跡を残していった。
私のそれと、主のそれと。

ふと思った、夢のなかでのことだ。
この一足一足は、私の生涯の一日一日を示していると。

立ち止まって後ろを振り返った。
足跡はずっと遠く見えなくなるところまで続いている。

ところが、一つのことに気づいた。
ところどころ、二人の足跡でなく、
一人の足跡しかないのに。

私の生涯が走馬灯のように思い出された。

なんという驚き、一人の足跡しかないところは、
生涯でいちばん暗かった日とぴったり合う。

苦悶の日、
悪を望んだ日、
利己主義の日、
試練の日、

やりきれない日、
自分にやりきれなくなった日。

そこで、主のほうに向き直って、
あえて文句を言った。

「あなたは　日々私たちと共にいると約束されたではありませんか。
なぜ約束を守ってくださらなかったのか。
どうして、人生の危機にあった私を一人で放っておかれたのか、
まさにあなたの存在が必要だった時に」

ところが、主は私に答えて言われた。

「友よ　砂の上に一人の足跡しか見えない日、

それは私がきみをおぶって歩いた日なのだよ」

構成◎木村博美

老いの才覚

ベスト新書
295

二〇一〇年九月二十日　初版第一刷発行
二〇一〇年十月十五日　初版第三刷発行

著者◎曽野綾子

発行者◎栗原幹夫
発行所◎ＫＫベストセラーズ
東京都豊島区南大塚二丁目二九番七号　〒170-8457
電話　03-5976-9121（代表）　振替　00180-6-103083
印刷所◎錦明印刷
製本所◎ナショナル製本
ＤＴＰ◎オノ・エーワン

ISBN978-4-584-12295-2　C0230